月刊文庫 **文蔵** 2024.4 目次

特集 デビュー20周年 目が離せない！ 神永学の作品世界

※「闇の絵本」は休載いたします。

月刊文庫 文蔵 2024.4 目次

表紙デザイン・管野はるな／本文デザイン・小林美代子

CONTENTS

インタビュー

神永 学

ブックガイド

自費出版から累計一〇〇〇万部著者へ ホラーミステリーの巨人が歩んだ二十年――内田 剛

世界

赤い眼で死者の魂と真実を見通す青年「八雲」、
隠された悪事を暴く義賊「山猫」……
その巧みなストーリーテリングと、
魅力溢れるキャラクターによって
常に読者の心を掴んでいる作家、神永学さん。
本特集では、今年デビュー20周年の節目を迎え、
更に進化を遂げる神永さんの作品の数々を、
最新刊『マガツキ』を中心に紹介していきます。

特集 デビュー20周年

目が離せない！神永学の作品

満足せず、新しいチャレンジを続けていきたい

取材・文＝末國善己　写真＝遠藤 宏

Interview

神永 学

PROFILE

Kaminaga Manabu

1974年、山梨県生まれ。日本映画学校（現日本映画大学）卒。自費出版した「赤い隻眼」が編集者の目に留まり、2004年『心霊探偵八雲　赤い瞳は知っている』として刊行され作家デビュー。「心霊探偵八雲」シリーズとして人気を集める。小説の他、舞台脚本の執筆なども手がけている。他の著作に、「怪盗探偵山猫」「天命探偵」「確率捜査官 御子柴岳人」「革命のリベリオン」「浮雲心霊奇譚」「悪魔と呼ばれた男」の各シリーズ、『ラザロの迷宮』などがある。

二〇二四年にデビュー二十周年を迎えた神永学さん。代表作である「心霊探偵八雲」シリーズはミステリーと〝怪異〟が融合した刺激的なテーマと、魅力あふれる登場人物の活躍により、幅広い読者に愛され続けている。多種多様な作品を上梓し、新たな魅力を発信し続ける神永さんに、執筆の背景や新作『マガツキ』についての思いを伺った。

駆け抜けた二十年

――神永さんは今年でデビュー二十周年になりますが、これまでの作家生活を振り返ってどのようなご感想をお持ちですか。

神永　駆け抜けたという感じです。僕は、実力からいってデビューするのが早過ぎたと思っていて。二十年、何とか書き続け、ようやくデビューに値する実力になったと感じています。これは謙遜ではなく、今も色々な作家さんの作品を読んで、日々「こんなやり方があったのか」と衝撃を受けては、自分ももっと成長しなければと模索しています。

――次々と新たなシリーズを生み出されているのは、現状に満足していないことと関係があるのでしょうか。

神永　そうですね。ひとつの作品を書き終わる前から「もっとできたはずだ」と思って、僕から編集さんに次のアイディアを提案するケースも多いんです。満足しないからこそ、新しいチャレンジを続けています。

――新作『マガツキ』は、人の身体を欲しがる〝それ〟の正体を探る、ホラーにしてミステリーです。恐い話は昔からお好きだったのですか。

神永　好きでした。もともと映画の学校に入って監督を目指していたのですが、入学してすぐに良い構図が切れないことに気付きました。それから言葉だけで伝えるエンタメに嵌まって、落語、講談、怪談などを観るようになりました。これらは語り口が演者によって違っていて個性が出るのが面白い。おどろおどろしくやればいいという訳でもないんですよ。今も怪談バーに通っていますが、それも一人一人違う語り口に興味があるからです。実話怪談も好きで読んでいます。

だからこそ、今回怪異を題材に選んだ時に、ただ霊的なものを取り上げるのでは、話芸の怪談や実話怪談に勝てないと思いました。そこで怪異を正面から書くのではなく、超自然現象とは対極にある、現代の最新技術が絡むようにしました。

――デビュー作『心霊探偵八雲』も、冒頭に怪異が置かれていましたね。

神永　『心霊探偵八雲』は初めて書いたミステリーです。それまでハードボイルドが好きでしたが、大沢在昌先生の作品を読んで、その面白さに、これまた勝てないと思って(笑)。それで今回と同じく禁じ手として、冒頭に怪異を置いたミステリーにしました。

――『心霊探偵八雲』は、今では特殊設定ミステリーの先駆とされていますが、狙った訳ではないのですか。

神永　特殊設定も、探偵の特殊能力を強調する心霊探偵といった表現も当時は珍しかったですが、それは当時の僕に本格ミステリを書く勇気がなかったから生まれただけです。デビューして二十年近く経って発表した『ラザロの迷宮』で、ようやく正面から本格ミステリを書くことができました（笑）。

九十年代の映画がベースにある

――『マガツキ』の怪異は名前がなく「それ」と呼ばれていますが、これはスティーブン・キングの『IT』を意識されたのでしょうか。

神永　そうです。キングの『IT』は大好きで、昔観たテレビドラマ版は本当に恐かったです。『IT』で学んだのは、ホラーで恐いのは怪異の正体が分からない前半で、正体が分かる後半は対策が見えてきて恐さが薄れてしまうということです。若い頃はあまり本を読んでいなかったのですが、映画学校時代に原作を読んでいました。フィリップ・K・ディック原作の『トータル・リコール』や夢枕獏先生原作の『陰陽師』が公開された頃なので、僕のベースには八十年代、九十年代の映画があります。CGが発達する前、工夫を凝(こ)らして撮っていた頃のホラー映画の手法を、小説に落とし込んでいます。

――第一話「それ」は、「私」が何度も怪異に襲(おそ)われるループもの。第二話「友だち」は大学生の陽咲(ひなた)と夏菜(なつな)のスマホに「それ」からと思われるメッセージが届き、第三話「欲しい」は動画配信で怪談を分析しているショウが謎を追い、第四話「羽化」は容姿にコンプレックスがある女子高生の美麗(みれい)がダイエットサプリを飲んで変化するなど、毎回、主人公が変わります。これは怪異の正体を不明のままにして恐怖を長続きさせるためだったのですか。

神永　そうです。第一話が時系列的には一番新しく、章が進むごとに時間がさかのぼって、最終章ですべての原因が分かる構成を考えていました。これはクリストファー・ノーラン監督の影響かもしれませんが、僕自身も時間軸をズラすのが好きなので色々な作品で試みています。小説では時間を感じさせることが難しいのですが、構成を変えると読者に意識してもらえます。最初に怪異の原因を書いてしまうと興ざめなので、最後で明らかになるようにしました。

――今回は最初に結末を決めてから、怪異を考えていったのですか。

神永　『心霊探偵八雲』シリーズで扱っているような世界を描いても仕方ないし、「本当に怖(こわ)いのは人間」、所謂(いわゆる)ヒトコワのような恐さを書く自信もなかったので、新たな題材として結末を考え、そこから怪異を足す感じで書いていったので恐怖のバリエーションが増えました。あの結末のためにかなり取材をして、自分と違った価値観に触れられたので楽しかったです。

――スマホに謎のメッセージが届いたり、動画配信者が調査を行ったりするのでテクノロジーが生み出す怪異を描いているように思えました。テクノロジーが発達すると、怪異の質が変わるとお考えですか。

神永　変わると思います。最近は心霊番組を見ていても、取り上げるのが心霊写真ではなく動画になっているんですよ。それも、幽霊がはっきり写っていて。僕は「人の顔に見える？　影じゃない？」くらいが好きなのですが、カメラが高性能化してデジタルで画質もよくなっているので、想像の余地が減っているように感じます。学校も耐震工事が進んで古い校舎が減り、トイレも水洗で緊急時呼び出しボタンが付いているところもあります。僕の世代と今の子供たちでは触れている世界が違ってきていますから、当然、怪異も違ってくるはずです。

――「それ」は、ひとりぼっちになる恐怖、ルッキズムにさらされる恐怖を利用していくので、余計に恐く感じました。

神永　そこは意識しました。得体の知れないものが恐いのは確かですが、今の若者は承認欲求に起因する恐怖が強いと思うんです。それは、友だちがいるいない、恋人がいるいない、美しい醜(みにく)いなど様々ですが、承認欲求への渇望(かつぼう)があって、それが歪(ゆが)んでいくと新たな悲劇を生み出す可能性があります。人と同じであることに価値を見いだすと他が見えなくなります。現在は多様性が重要といわれますが、最近の炎上事件を見ても、実際は世間一般の常識から外れると犯罪でもないのに一斉に叩かれることが増えたように思いますね。現代の恐さを表現したくて、スマホや配信者、ルッキズムなどの問題を織り込みました。また、「人とのかかわりが生む恐怖」も裏テーマだったので、そこに気付いてもらえると嬉しいです。

自分なりに怖がらせたい

——第七話「真相」では、美麗の同級生で父親が刑事の武英(たけふさ)が、派手なアクションを繰り広げますが、謎解きの鮮やかさともあいまって痛快でした。

神永　九十年代のホラーが好きなので、最後はサム・ライミ監督の映画のような派手なアクションにしました（笑）。ホラー小説は作家の趣味がダイレクトに出るジャンルだと考えていて、僕は『エイリアン』が好きなので、つい換気口(かんきこう)から何かが出るシーンを書いてしまいます。それが『マガツキ』にあるか、実際に読んで確かめてみてください。小説は映像と違って長くアクションを書くとだれるので、絶妙なバランスが必要です。しかも単純な血みどろでは駄目で、追いかけてくるモノの恐怖を読者に感じてもらわなければなりません。澤村伊智先生の『ぼぎわんが、来る』は、アクションのバランスも、読んで感じる恐怖も素晴らしかったので、自分がどこまで近づけたか気になります(笑)。

――これから、どのような作品を書いてみたいですか。

神永　確率論だけでホラーを書いてみたいです。新聞記者になった先輩がある殺人事件を取材していたのですが、その現場周辺で以前から自殺者が相次いでいた事実に気付いたそうです。ただ殺人事件と自殺に関連性はないので、記事にはできなかった。でも期間と確率を考えると不自然なんです。それは幽霊が出るとかではなく、何かの自然現象が人の精神に及ぼす影響があったのかもしれないと話していました。小野不由美先生の『残穢』の世界ですね。そんな話を聞いて以来、数字から、なぜ異常値が出るのかを考えていると楽しいんです。京極夏彦先生がインタビューで「人を恐がらせるのは難しい」とおっしゃっていましたが、これから何作か、僕なりのアレンジでホラーを書いて行きたいです。

ブックガイド

自費出版から累計一〇〇〇万部著者へ

ホラーミステリーの巨人が歩んだ二十年

文・内田 剛

「待て!!
しかして期待せよ!!」

神永学ファンお馴染みのこのフレーズに、いったいどれほど胸が躍らされたことであろう。これ以上にないほどの高さにまで上げられた期待のハードルは、今まで一度も裏切られたことはない。まさにいま最も信頼のおける作家が神永学、その人なのである。

作家デビュー二十周年。二〇二三年十一月に新宿・紀伊國屋ホールで開催された「本との新しい出会い、はじまる。BOOK MEETS NEXT」のオープニングイベント講演に川上未映子氏とともに登壇したニュースは記憶に新しい。全国規模の本のお祭りのアンバサダーに就任して、出版業界の「顔」として活躍。誰もが認める人気作家の仲間入りをした神永学だが、はじめから順風満帆であったわけではない。むしろ厳しい苦難の道があったからこそ、現在の輝きがあるのだ。

自費出版から生まれた「心霊探偵八雲」

改めて著者の経歴を振り返ってみる。一九七四年山梨県生まれ。高校を卒業後に映画監督を目指して映画学校に入学。この志と経験が基礎となって、読みながら映像が浮かぶような作風に大きく寄与したのであろう。その後、一般企業で勤務しながら小説執筆を始め、各文学賞への応募を繰り返す。

転機となったのは『赤い隻眼』である。この作品は自費出版であり、応募生活から一区切りをつけるタイミングだったのかもしれない。運命の糸がつながったのか、とある編集者に注目されて、二〇〇四年に同作を大幅に改稿して『**心霊探偵八雲 赤い瞳は知っている**』のタイトルでプロデビューを果たす。その年には、執筆活動に専念するために専業作家となるわけだが、この決断の速さも素晴らしい。ギアをあげることによって筆の勢いが増し、そのまま売行きにも拍車（はくしゃ）がかかったことは間違いない。全著作の累計は、十五周年の時点ですでに一〇〇〇万部を突破していたから、これは驚異的数字といえるだろう。

このコラムを書いている私は一九九一年から約三十年間、東京に本社のあるチェーン書店に勤務し、主に文芸書と文庫ジャンルを担当していた。ずっと右肩上がりを続けていた紙の本の販売額は一九九七年をピークに下がりはじめて、止まることを知らない出版不況の時代へと突入した。個人的な振り返りで恐縮であるが、なにもしなくても売れた九〇年代、なにかしなければ売れなくなった〇〇年代以降と区分できるだろう。手書きＰＯＰの流行や本屋大賞がスタートし、話題書のタワー積みなどの販売手法はすべて〇〇年代初頭の書店店頭で始まったことだ。そうした時代

『心霊探偵八雲１ 赤い瞳は知っている』
角川文庫
定価：748円

の空気の中で作家・神永学が出現したのである。

ここに時代の分水嶺を見る。「面白い本を出せば売れる時代」は終わりを告げた。まずは「面白い本」があり、それをいかにして読者に向けてアプローチしていくか。著者と発行元（出版社）と書店の熱を帯びた共闘、プロモーション重視の時代が始まったのだ。

神永学のセルフプロモーションの巧みさにも興味をそそられる。一般企業での会社生活のキャリアも有益だったはずだ。作家でありながらビジネスパーソンとしての才能も発揮する。出版業界で生き残るために必死の努力を惜しまなかったのだ。早くから個人事務所を立ち上げたことや、過去の実績だけでなく、近況や特集などを網羅したオフィシャルサイトの充実ぶりからもそれはよくわかる。版元を巻きこんでの新刊やシリーズのPR戦略も目立っている。小説が完成するのは、書き上げた時でも製本された瞬間でもない。読者に届き、読まれて初めて出来上がるのだ。

当時の出版界のブームで特筆すべきは、ケータイ小説や「ハリー・ポッター」の誕生だろう。若い読者層に短時間でも読めるカジュアルなストーリーが絶大な指示を集めていたと同時に、一方ではまったく無名の著者の壮大なスケールの長編ファンタジーもまた求められていたのだ。圧倒的な親しみやすさ、リーダビリティ、続きが気になって仕方がない構成。このブックガイドを書くために読み返して改めて理解したが、それらすべてが「心霊探偵八雲」には備わっていた。浮き沈みが激しい小説ジャンルの中でも比較的安定して長く売れ続けているホラー要素のあるミステリーを選んだことも、ヒットの要因でもあるだろう。

初期から中期にかけての文庫作品のひとつの読みどころは、巻末の著者自身による「あとがき」だ。その作品にこめられた想い、創作の裏側、担当編集者への感謝、今後の構想など、著者の肉声（にくせい）が生々しく語られている。創作者のパーソナルな側面をうかがい知ることができ、どこを切り取っても興味深く、まだＳＮＳが今ほど活発ではなかった頃は、ファンにとっては贔屓（ひいき）作家の素顔を知る貴重な「場」であったことは間違いない。常に読者と向きあっていた著者の姿がページの向こうに確かに見えるのである。

怪盗探偵山猫、浮雲心霊奇譚……魅力あふれるシリーズ作

神永作品はシリーズもののイメージが強い。そのラインナップは荘厳な山脈を見ているようでもある。書店の文庫コーナーには「神永学」がなくてはならない存在であることは言うまでもなく、読者の支持は売り上げの数が証明してくれる。数字は嘘をつかない。売れるからシリーズになる。多くの固定ファンをつかんでいるシリーズものは、著者の最大の強みであるばかりか、発行元にとっても書店にとっても確実に稼（かせ）げる非常に大切な財産でもあるのだ。

改めてこれまでの作品群を振り返ってみたい。まずは稀代のストーリー・テラー神永学の代名詞といえる「心霊探偵八雲」シリーズだ。本編は『心霊探偵八雲　赤い瞳は知っている』から『心霊探偵八雲12　魂の深淵（しんえん）』まで十三編を数える。さらに「心霊探偵八雲　ANOTHER FILES」シリーズとして『心霊探偵八雲　SECRET FILES　絆』を挟（はさ）んで『**心霊探偵八雲　ANOTHER FILES　いつ**

『心霊探偵八雲 ANOTHER FILES いつわりの樹』
角川文庫
定価：660円

『青の呪い 心霊探偵八雲』
講談社文庫
定価:990円

『確率捜査官 御子柴岳人 密室のゲーム』
角川文庫
定価:660円

『心霊探偵八雲 INITIAL FILE 魂の素数』
講談社文庫
定価:825円

わりの樹』から『心霊探偵八雲 ANOTHER FILES 沈黙の予言』まで六編あるため、十九編がズラリと並び、シリーズはここで完結を迎える。そして人気は小説にとどまらず舞台化、TVアニメ化、TVドラマ化、コミカライズなどメディアミックスもされている。シリーズは完結しても、次々と関連本がラインナップに加わっていくのだ。

『青の呪い 心霊探偵八雲』のようなシリーズをベースとした単独作品もあれば、別作品「確率捜査官 御子柴岳人（みこしばがくと）（三部作）」のメインキャラクター「御子柴岳人」とクロスしたチャレンジシリーズ「心霊探偵八雲 INITIAL FILE（二作品）」もある。個性的なキャラクター同士の予想もつかない化学変化は、刺激がたっぷりで実に面白い。

『**怪盗探偵山猫**』から始まり『怪盗探偵山猫 深紅の虎』まで六作品を数える「怪盗探偵山猫」シリーズは、「心霊探偵八雲」に負けず劣らず読者人気が高い。二〇一六年に日本テレビ系で連続ドラマ化、天才怪盗「山猫」役に亀梨和也（かめなしかずや）が起用され派手なアクションシーンが話題ともなった。またシリーズの多くが児童向けの「角川つばさ文庫」にも収録されており、幅広い読者層に愛されている。

『**浮雲心霊奇譚 赤眼の理（ことわり）**』から『浮雲心霊奇譚 血縁の理』までこれまでに六作品が刊行されている「浮雲心霊奇譚」シリーズもまた看板作品のひとつ。「時代小説の地平を拓（ひら）く幕末ミステリー」として話題を集め、著者の真骨頂（しんこっちょう）を存分に堪能できる。もちろん各方面からの評価も非常に高く、二〇二一年から「浮雲心霊奇譚第二シリーズ」として『**火車の残花 浮雲心霊奇譚**』と『**月下の黒龍 浮雲心霊奇譚**』の二作品が加わったことも喜ばしいニュースである。さらにこのシリーズは現在、「小説すばる」にて好評連載中であるから、今後の展開も非常に楽しみでもある。

『**悪魔と呼ばれた男**』、『**悪魔を殺した男**』は、新設された「警視

『怪盗探偵山猫』
角川文庫
定価:748円

『浮雲心霊奇譚 赤眼の理』
集英社文庫
定価:748円

庁特殊犯罪捜査室」が真相を追う凶悪犯罪をテーマにしたシリーズだ。「ダヴィンチ・コード」のようなダークサイドの世界を真向から描いた作品の登場にも度肝を抜かれた。

この他にも強烈なキャラクターたちが縦横無尽に活躍するシリーズ作品が神永学の著作には多数存在する。「**天命探偵**」シリーズを読めば、テーマの魅力もさることながら、スケールの大きさの虜となるであろう。

また、「**革命のリベリオン**」シリーズはデビュー十周年と新潮文庫創刊一〇〇年の記念も兼ねた金字塔的な作品だ。ファンタジックなイメージで近未来を描きながらも、現代社会を風刺する社会派な側面も感じられる意欲作。これまた神永学の凄さを思い知るストーリーである。そして異色の存在感を示すのが戦国時代が

『火車の残花 浮雲心霊奇譚』
集英社文庫
定価:847円

『月下の黒龍 浮雲心霊奇譚』
集英社
定価:1,760円

『悪魔と呼ばれた男』
講談社文庫
定価:968円

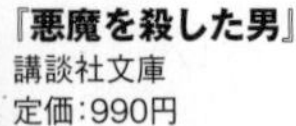

『悪魔を殺した男』
講談社文庫
定価:990円

舞台の**「殺生伝〈一〉〜〈三〉」**だ。「浮雲心霊奇譚」と同じく、時代物の切れ味の鋭さは、いつ読んでも鮮やかな印象を放ち続け、決して色あせることはない。

ストーリーに妙技が光る、単独作品

しかし、神永文学の真髄（しんずい）はシリーズばかりではない。著者渾身（こんしん）の力をこめた単独作品たちもまた目を見張るものばかりである。**『コンダクター』**も忘れがたき魅力があるが、個人的には**『イノセントブルー　記憶の旅人』**には鮮烈な印象が残っている。言うなれば「黒と赤」のイメージが圧倒的であった神永作品に爽やか

『タイム・ラッシュ　天命探偵 真田省吾』
新潮文庫
定価：693円

『革命のリベリオン　第Ⅰ部 いつわりの世界』
新潮文庫nex
定価：781円

『殺生伝〈一〉 漆黒の鼓動』
幻冬舎文庫
定価：715円

な「青と白」のイメージを植えつけたエポック的な物語。前世の記憶と現生の縁が絡み合うという緻密な構成にも注目。透明感たっぷりの優しく癒される一冊だ。

また『ガラスの城壁』も極めて文学性が高く、著者の青春期の想いが完全に凝縮された、ひとつの到達点を示す傑作である。苦悩を背負った少年の成長譚であるが、父親が逮捕された理不尽な事件を追いかける上質なミステリー作品としても味わえる。これは時代を超えて読み継がれるべき物語であろう。

作家デビュー二十周年記念の一環として刊行された『ラザロの迷宮』も、読者を驚かせる多様なテクニックと、筆の半端ない漲りを高らかに世に示した物語作品である。血塗られた洋館に漂う妖しい空気。復活の祈りに魂の叫びが響きわたる。恐るべき運命の糸に背筋が凍りつく神がかった作品だ。「一ページ先さえ予測不能、衝撃の大逆転ミステリ」の帯コメントを活かしたジャケットの仕掛けにも唸らされた。

さらにその活躍ぶりは「作家」という枠を飛び越えて、近年さらに目立って幅を広げている。アクション朗読劇「怪盗探偵山猫

『イノセントブルー 記憶の旅人』
集英社文庫
定価:660円

『コンダクター』
角川文庫
定価:880円

～黒羊の挽歌～」や、歌劇「特殊ミステリー歌劇「心霊探偵八雲」―思考のバイアス―」といった舞台公演も、若い頃から映画監督を志し脚本にも積極的に手をかけ続けていた著者ならではの仕事といえよう。細やかな設定、人物描写、印象に残る名場面や切れ味の鋭い名台詞の数々。意欲的な試みは小説にも好影響を与えていることに、間違いない。

心躍る！　二十周年の刊行予定作

そしてデビュー二十周年となる二〇二四年は出版企画も目白押しである。講談社の最新リリースにも心が躍らされる情報が載っている。二月には「震撼のピカレスク・ミステリー」である「悪魔」シリーズ最新刊**『悪魔の審判』**が発売。また春の予定として**「心霊探偵八雲」**続編決定。さらには**「心霊探偵八雲」**シリーズも加筆・新装版として蘇るのだ。パワーアップした人気作がより多くの読者の目に触れることは間違いない。

そして二〇二四年三月にはWEB文蔵（PHP研究所）で「オ

『ガラスの城壁』
文春文庫
定価：792円

『ラザロの迷宮』
新潮社
定価：1,980円

オヤツヒメ」として連載されていた注目作が、『マガツキ』というタイトルで発売となる。モノクロを基調としながらも、脳裏に焼きつくような印象深いジャケットの最新作は恐るべき悪夢から始まる。正体不明の「何か」が迫りくる恐怖。たたみかける悍ましい擬音が耳に残って離れない。一歩たりとも後戻りできない狂気の世界。正視できない血塗られた惨劇。追い詰めた先には禁断の光景が待っていた。これは都市伝説か？　それとも悪夢の仕業か？　神と人間の領域が交錯する驚愕の一冊だ。これは絶対に読み逃せない。

過去と未来、生と死、虚と実、光と闇……時空を超越してこの世のあらゆる要素を小説世界に昇華させ続けている「神永学」は、すでにひとつのジャンルである。これはもう揺るぎない事実なのだ。二十年という節目はまだまだほんの小さな通過点に過ぎない。まさに「神」業といえる筆力で読者から「永」く愛される物語を書き続け、エンターテインメント作品として面白いばかりか人生の「学」びまでも教えてくれる作家「神永学」の未来は明るい。今後の「進化」と「深化」に大いに期待しよう。

『マガツキ』
PHP研究所
定価：1,870円

『悪魔の審判』
講談社
定価：2,200円

※定価は税10％です。

PHP文芸文庫

「怪談喫茶ニライカナイ」シリーズ

蒼月海里 著

怪談喫茶 ニライカナイ

「貴方の怪異、
頂戴しました」――。
怪談を集める不思議な
店主がいる喫茶店の秘密とは。
東京の臨海都市にまつわる
謎を巡る傑作ホラー。

怪談喫茶 ニライカナイ 蝶化身が還る場所

喫茶ニライカナイの
店主に助けられた雨宮は、
その店主の境遇を知り、
逆に彼を救おうとする。
しかし、それは街の禁忌に
触れることだった!?

汚名　伊東玄朴伝①

和田はつ子
Wada Hatsuko

序章　医に取り憑かれた男

端午（たんご）の節句（せっく）が来ると、四人の息子たちを想って柏餅（かしわもち）を作るのが我が家の習わしでした。柏餅は母から教わったもので、兄は生きていた頃は一度に五個も食べて、母を喜ばせていたものです。振り返ると母は兄が亡くなってから、一度もあの頃のように笑うことはなかったと思います。

夫　伊東玄朴（いとうげんぼく）は、どんなにたくさん柏餅を作っても一度たりとも手をつけたことはありませんでした。それが、あの時だけは違いました。皿から一つ摑んだかと思うと、一口で食べ、何も言わずに屋敷から出ていきました。わたしには、夫がなぜあの年に限って柏餅を食べたのか、食べてもいいと思ったのか、わかるような気がしました。安政五（一八五八）年五月七日は、夫が人生を賭して取り組んでいた、公儀公認の種痘所設立に漕ぎ着ける日だったからです。

　神田松枝町にあるこの種痘所は「お玉が池種痘所」と名付けられ、老中首座阿部正弘様の下で勘定奉行、海岸防禦御用掛として辣腕を振るわれた川路聖謨様のお屋敷内にありました。

　当日は、夫　玄朴をはじめ市中の蘭方医の方々が一堂に会するとあって、ささやかな祝賀の膳が調えられましたが、膳の上の皿に載っていたのは握り飯でした。恩人である川路様もお見えになるのだから相応の祝膳をという他の方々のお声もありましたが、夫からは白米の握り飯でよいと言われ、わたしは朝早くから大釜で飯を炊きました。熱く真っ白な飯粒を手に馴染ませながら握っていると、不意に裡から湧き上がってくるものがありました。ただ、この時わたしは夫の晴れの日を心から喜んでいるのかどうか、夫がずっと抱えてきた荷物を下ろせる日なのかがわからずにおりました。一口で食べてしまった様子は兄のように美味しそうでも、満足そうでもなく、種痘所設立への最後の一念を込めているように見え、何も声をかけることができませんでした。

わたしが生まれた猪俣家は長崎で代々通詞をしていました。父は通詞猪俣家の復権を強く願っていました。二百年ほど前、この国での初めての蘭学医書『カスパル流外科』の刊行に寄与したにもかかわらず、不正を疑われて罷免された、猪俣家初代伝兵衛が終生抱き続けたであろう憤懣を解消し、真の供養を果たしたかったのでしょう。それゆえ、父は今際の際、貧しくも熱心に蘭方医術を学ぼうとしていた玄朴にわたしを託していったのだと思います。

夫は戸塚静海先生と並んで最も腕がいいとされている蘭方医で、市中を駕籠で駆け巡って往診をこなしています。常に目の前の患者の命を助けることに凄まじい情熱を燃やす人であるのは、医者としての評判をとるようになった今も変わっていません。一方で、まず先に薬礼（診療費）の話をしたり、目的のためには商人のように頭を下げ続けることも厭わない夫です。そのため、周囲からは出世や蓄財ばかりに固執しているあこぎな医者だとみられることも多いのです。

痩せていて大きくもない身体のどこに、こんな途方もない力が眠っているのかと疑いたくなるような昼夜を問わない働きぶりなのです。種痘所設立のために高位の方々や富裕な人たちの間を駆け回っている夫の様子は微笑みつつも眼光だけは鋭く、医者の時には見せない、開き直っているやや不気味な穏和さでした。

そんな夫を誇らしいと思う日と、二度と家に戻らなくても悲しまないとどこか諦めている日とがあります。夫に対してわたしの気持ちはどこか冷めているのです。これはきっと夫も同じでしょう。夫には医道以外のことは何も見えていないのではないかと疑いたくなるのです。娘たちの伴侶は医者に決めても、息子たちには「やぶ医者やタケノコ医者になるぐらいならなまじ、医者になどならぬ方がよい」と言い切るほど、自分なりの医者道の貫徹が、夫の人生なのでしょうか。

もし猪俣家と出会わなければ、夫は公儀奥医師などには上り詰めず、肥前国は仁比山神社の被官兼医者として村人たちに敬われつつ慕われ、平凡ながら穏やかな人生を送ったのではないかと思わずにはいられませんでした。とはいえ時を戻すことはもとより叶わぬことで、ここまで来た夫はもう後戻りなどできはしません。世間が利己的な出世主義者と見做している夫　玄朴の真の姿を知りたいと今、わたしは切実に思っています。

第一章　シーボルト

一

「玄朴、大変だ」

猪俣伝次右衛門の息子、源三郎が蒼白な顔をして飛び込んできた。坊主頭でやや幅広の鼻と丸く小さな顔、大きな福耳が目立つ男は、自分の名前を呼ばれたにもかかわらず、声の方に見向きもしない。

「ちょっと待ってくれ」

この日、玄朴は治療に余念なく沼津宿の旅籠の大広間で患者の足の傷を縫い合わせているところだった。文政九（一八二六）年、二十七歳の玄朴は阿蘭陀商館長の江戸参府に、商館付の医師シーボルトと共に従っていた。シーボルトは行く先々の街道で大歓迎を受けつつ、旅籠では常に患者たちが長蛇の列をなして診察を乞うていた。

各宿場には患者だけでなく、蘭方医や蘭学者、博物学に秀でている大名等も収集品の贈答付きで押し寄せてきていた。中には外様の大藩である薩摩藩前藩主島津斉宣まで訪れるので、シーボルトは歓迎の嵐の中で、熱く興奮しつつも疲弊していた。シーボルトが歓談している間、玄朴を含む随行した鳴滝塾の塾生たちが代わって患者たちを診ることもあった。

「父上が裏手で斬りつけられたのだ。すぐに来てくれ」

源三郎が言葉荒く叫んだ。玄朴は一瞬、源三郎が何を言っているのかわからなかった。長崎で代々通詞を務めてきた猪俣伝次右衛門の存在がなければ、玄朴などがシーボルトに随行できるはずもなかった。長崎から江戸までの道中、薬草となる自生植物や鳥獣虫魚等の採集、捕獲、保存を目的としたシーボルトの随行者として選ばれるのは、植物や動物の知識に長けた塾生たちや剝製作りができる猟師等だった。江戸までの旅にはかなりの路銀も必要なため、シーボルトとの旅も果たせぬ夢だと最初から諦めていた玄朴だった。ところが、源三郎の父 猪俣伝次右衛門は、妻と娘の照と共に、息子源三郎が幕府の天文方に採用されたのを機に、私財を抛って路銀を工面し、玄朴にも同道を迫った。当初、この申し出に当惑していた玄朴だったが、叶うはずもないと思っていた夢が猪俣家の人たちと同道するだけで叶うのだと思うと、頷いてしまっていた。

伝次右衛門が斬り付けられたとの報に、一瞬手が止まっている玄朴を見かねて、

「ここはわたしが――」

すぐそばで治療を手伝っていた戸塚静海が申し出た。玄朴より一歳年上のこの男は遠江(とおとうみ)国掛川宿(かけがわしゅく)の医家の三男であった。ぬうぼうとした風貌(ふうぼう)の大男で寡黙さも手伝ってか、蘭学の習得が玄朴同様遅かった。しかし外科医術と急を要する手当てには稀有(けう)な力を鮮やかに発揮する。これは蘭方よりも先に漢方を学んで開業し、生家を立て直した玄朴も同じで、二人はいつしか互いの医術に魅せられつつ心を通わせて友情の芽を育てていた。

玄朴が源三郎と共に旅籠の裏手に行き着くと、鬢(びん)に白いものが目立つ痩軀(そうく)の猪俣伝次右衛門が仰向けに倒れて首から血を流していた。手には脇差(わきざし)を握りしめている。玄朴は屈(かが)んですぐに脈を診たがすでにもう触れない。聞きつけた旅籠の女将(おかみ)が静海と一緒に駆けつけた。静海も玄朴と同じように脈を診ると首を横に振って俯(うつむ)いた。

「まあ、こんなこと、いったい誰が――。どうしましょう」

と青ざめている若い女将に、

「父は裏木戸から入ってきた曲者(くせもの)と鉢合(はちあ)わせたようです。シーボルト先生を狙う者に違いないと、懸命に父は応戦したのではないでしょうか。それでこんなことに」

源三郎は先ほど慌てて駆けつけてきた時とは違う様子で、冷静に事の次第を女将に告げた。

「くれぐれもこのことはシーボルト先生には秘しておくように。このような不始末で先生のお心を煩わせるのは父上の望むところではなかろうからな」

源三郎は険しい顔で、玄朴と静海を見つめて言った。

伝次右衛門はもう二度と動かず、息もしていなかった。「玄朴、玄朴」と度々、用事を押し付けつつも可愛がってくれた伝次右衛門がここに冷たくなっているのかと思うと、玄朴はすぐにこの場を立ち去れそうになかった。

玄朴が阿蘭陀語を学ぶために猪俣家に通い詰めていた頃から、伝次右衛門は何かと先行きを気にかけてくれていた。伝次右衛門は猪俣家初代の伝兵衛の偉業を讃えつつも、「どうしてもわたしはおまえをシーボルト先生の江戸参府に連ならせたい。そして是非とも御先祖様の雪辱を果たしてほしい」と熱く語りかけた。その様子に、玄朴は心を動かされた。優れた通詞だった伝兵衛が慶安三（一六五〇）年、阿蘭陀商館付医師カスパル・シャムベルゲルと共に江戸参府の折、半年ほど専任通詞を務めた。そして、この国で初めての蘭学医書『カスパル流外科』の刊行に寄与したにもかかわらず、カスパルへの患者斡旋や幕府への献上品、珍品等の横流しを疑われて罷免された。伝次右衛門は、この不名誉な沙汰への憤懣を解消して、真の供養を果たしたかったのだろう。シーボルトにカスパルを重ねていたのか、「出世してこの名を轟かせてほしい」という伝次右衛門自身の想いを玄朴に託しているかのようだった。息子の源三郎に期待していなかったとは言えないが、医者の玄朴には何か特別な想いがあったのかもしれない。

　玄朴たちは伝次右衛門の斃れた身体を見つめたまま何も発する言葉がなかった。静海は現実に引き戻されたのか、玄朴の肩に手を置いたあと静かに戻っていった。

「俺が駆けつけた時、父上はまだ息があった。俺が父上の口に耳を寄せると、今際の際に〝玄朴に伝えてくれ、照と添ってくれと〟とおっしゃった。おまえはもう聞かされているのだろう」

　静海がいなくなったところで、源三郎は口を開いた。玄朴は伝次右衛門から、照を頼まれたことなどこれまで一度もなかった。照の名前すら、二人の間であがったことはないのだ。先ほどまで伝次右衛門との思い出にふけっていた玄朴だったが、急に目の前の恩人の身体が見知らぬ者の骸に思えた。死に際に、血を分けた息子へ託す言葉が、娘と自分との契りだということが、玄朴にはなぜか不気味だった。これからの人生を、猪俣家に捧げろということなのだろうか。江戸行きを熱心に勧め、シーボルトに随行させてくれたのは、すべてこのためだったのか。玄朴は伝次右衛門の死を機に、猪俣家の人間にならなければいけないのかと一抹の不安を感じた。

玄朴は二十四歳の頃から、長崎西山の安禅寺(あんぜんじ)で働きながら、猪俣家に通い蘭学を学んでいた。夜明けとともに起き、寺の雑役(ざつえき)を務め、猪俣伝次右衛門の講義を聞く、孤独で苦しい修業の日々だった。十二歳になる照は伝次右衛門の妻ミツにぴったりとくっついて離れず、いつもどこか上の空だった。給金も少なく、一日をおからや芋でしのぎ、学友とも遊ぶことのなかった玄朴は、照の存在を気にも留めていなかった。玄朴は故郷(くに)で漢方医になったからこそ生家の借金を完済できたことを身を以って知っていた。借金に追われる貧しさは辛すぎる——。長崎で蘭学を習得して、肩書を得れば、さらなる富の階段を登れるだろうと玄朴は己を奮い立たせてきた。

二

玄朴は幼名を勘造といい、寛政(かんせい)十二(一八〇〇)年に肥前(ひぜん)国は仁比山(にひやま)神社の被官(ひかん)(神社に務める下級役人で主に農業に従事)執行(しぎょう)家の生まれである。暮らしは小作人同様で貧しかった。猫の額ほどの田畑にしがみついているだけの生活を憂えていた勘造はこのままでは展望は開けないと考え、周囲を見回して出自を問われずに成り上がることができるのは商人(あきんど)か医者だと気づいた。生来(せいらい)、学問に秀でていた勘造は迷わず医者を選び、文化十二（一八一五）年に近在の漢方医古川左庵に師事しようと考えた。といっても、何の後ろ盾も口利きもないので、ただひたすらに弟子入りを懇願した。あまりの熱心さに根負けした古川に入門を許されたのである。そして、文政三（一八二〇）年に見様見真似で会得した技と古川の蔵書から得た知識を頼りに、地元で開業した。亡き父重助の代からの借金を返し、田畑を買って家督を弟に譲り、今後はさらに蘭方をも身に着けようと文政五（一八二二）年、二十三歳で佐賀に出て、佐賀蘭学の祖島本良順の門下生となった。その後、文政六（一八二三）年には長崎に行き、寺に住まい、通詞猪俣伝次右衛門から阿蘭陀語を学び、シーボルトに師事した。しかし、田畑を買い戻したものの、家督を譲った弟は身体が弱く、野良仕事に不向きで、寄る年波の母親まで病を得るようになっていて、薬や食べ物を買う金がないという文が届く日々であった。昼食はほぼ抜きで、時折、口にできるのは、おからに水をかけたおから飯であった。そんな中でもただ一心に阿蘭陀語を学び、蘭方医にならんとしている玄朴に伝次右衛門の妻ミツは優しかった。

「わたし、おからが大好きなのよ。あなたのおから飯を魚や米飯と取り換えてくださいな」

ミツは玄朴が遠慮をしないように方便を遣って、何度となく玄朴の腹を満たしてくれた。

　伝次右衛門の息子の源三郎はその様子に、

「へーえ、母上はそんなものがお好きなのですか。わたしはいやだな」

　と顔をしかめ、娘の照はきょとんとしていた。

　そのことを伝次右衛門が知らぬはずはなかった。玄朴をとがめたりはしなかったが、労る言葉を掛けることもなかった。ただ、どんなに厳しく指導しても泣き言や言い訳をせず、必死に食らいついてくる姿勢を好ましく思っていた。玄朴が父伝次右衛門から叱責される様子に源三郎は、

「ふん。貧乏人のくせに母上に取り入ったりして生意気だよ。いやな奴。もっと叱られて破門されればいいのに」

　と洩らし、ミツにこっぴどく叱られたことがあった。このあと、玄朴に益々敵意を募らせていった。

　ある日、猪俣家の小女が伝次右衛門に、

「玄朴さんて、あまり話さないし、先生によく叱られているし、目つきが鋭いから、何となく怖くて近寄りがたかったんですけど、本当はそうでもなかったんですね」

　と言った。

「そうか？　阿蘭陀語の習得に余裕がないのだろうよ。ところで、どうしてそう思ったのかな」

「あのね。ここへ来る野菜売りの小母さんから聞いたんですけど、小母さんが野菜を乗せた荷車を引いていて、坂道を上るのにふうふう言っていた時、後ろを押してくれた男がいたんですって。有難かったけど、目つきが怖くて身形も貧しかったので、野菜を盗られるんじゃないかと心配したんだそうです。でも、てっぺんに着くと何も言わず、もちろん何も盗らず、行ってしまって。次に会ったら、お礼を言おうと思っていたところ、ここで、薪を割っている玄朴さんを見つけて――。お礼を言うと、玄朴さんニコッと笑ったんですって。あの男、笑うことあるんですね」

伝次右衛門はこの話を聞いて、息子源三郎が持ち合わせていない、素朴さに触れた気がした。


　文政八（一八二五）年に玄朴は白石鍋島藩の藩医瀧野文礼の義弟となり、瀧野玄朴と名を改めた。そして、翌文政九（一八二六）年、一月九日、二十七歳の玄朴は阿蘭陀商館長の江戸参府に際し、シーボルトと共に随行したのだ。

　ビロードのサックに入れた大きな日傘、剣、黄金の握りのついた籐の杖、贅を凝らした刺繍の上履き、文机、それに贅沢な茶道具、食器類、銀製品、ギヤマン類を掲げてカピタンの江戸参府の行列は、しずしずと進んでいく。

際立って華美で奢侈なこの行列は、江戸幕府と阿蘭陀国が交易を始めて以来、幕府によって決められた参府で、出島に住まう阿蘭陀商館長が江戸の将軍に拝謁、交易の許可の御礼を手厚い数々の土産品と共に伝えるためのものであった。

沿道に集まっている多数の人たちがこのカピタン行列を熱く見守っている。〝おおぅ、蘭方神さん、名医さん、仏様〟と掛け声をかけたり、ありがたや、ありがたや〟と念仏を唱えた後、土下座をしたままでいる者も居た。

――シーボルト先生の人気は凄い、華やかな行列とも相俟っている。しかも、日を追って高まるばかりだ。シーボルト先生の門下生になった甲斐があった――

カピタン行列の最後尾を歩いている玄朴は、とかく浮き立つ気分を懸命に押し殺しながら、始終、周囲に気を配り続けていた。

文政六（一八二三）年夏、出島へと入った外科少佐ドクトル・フォン・シーボルトは蘭方、西洋医術を伝播しつつ、今まであまりに厳しい規制で知ることが多くなかった、日本国についての詳しい調査を許され、従来の商館への赴任医師たちとは異なった厚遇を受けてきた。通詞の監視下ではあったが、出島から長崎の町へ赴くことが許されていただけではなく、蘭方、蘭学を本格的に学びたいと望む者たちや、先進の蘭方施療を望む患者たちの治療のために、鳴滝塾を立ち上げることができた。盲目や瀕死の者たちが、シーボルトの施療でたちどころに治癒、または小康を得たという話はすぐに長崎だけではなく遠く江戸にまで伝わった。来日して三年と経たないうちにシーボルトは蘭方の大名医と称され、奇跡の担い手として多くの病める人たちの救世主としてその名を轟かせていた。

玄朴がこれから目にする光景、耳にする言葉、全部を忘れまいと心に強く決意したきっかけとなったのは、シーボルトと共に江戸へ到着する前日のことだった。塾生の中から来訪客たちとの歓談を阿蘭陀語で書き留める係を頼みたいと、シーボルトが募った。「長崎を出てからの日々は自分で綴ってきたが、江戸滞在中は来客が多かろうからとてもそこまで手が回らない」というのが理由だった。筆記だけではなく、時にシーボルトの治療の手伝いもするようにとも付け加えられ、玄朴は好機だと思って挙手した。おそらく、阿蘭陀語に長けた高野長英がいたら一も二もなくシーボルトはこの役目を長英に言いつけるだろうから、長英が不在なのは有難かった。

たいそう重要な役目のように思えて、他に誰も倣おうとはしなかったが、玄朴と目が合った戸塚静海だけは歯を食いしばって倣った。この二人では心もとなかったのだろうが、ほかに挙手はなく、シーボルトはあからさまに軽く舌打ちして阿蘭陀語で「よろしい、頼む」と言った。玄朴は、ただただシーボルトに目をかけてもらいたい、その一心だったのである。

　玄朴は不安そうな顔で自分を見つめている静海に気づき、自信ありげに声をかけた。

「俺は阿蘭陀語で書く。戸塚は日本語でやってくれ。後で照らし合わせれば何とかなる」

　玄朴は長英ほど阿蘭陀語を話すのが達者ではなかったが、聞き取って記すのはなんとかなった。阿蘭陀語が苦手な静海も、聞き取りまではものにしていた。

「そうだな、いい勉強になるな。それに何よりシーボルト先生のお役に立てる」

　と静海は天真爛漫に笑った。

　シーボルトは大森で出迎えてくれた島津斉宣前薩摩侯と実弟の奥平昌高前中津侯に、用意してきた西洋の珍しい土産物を贈った。前薩摩侯はシーボルトの土産物には目をくれず、丹毒に侵された右手の治療を望んだのだが、シーボルトはその傷口を見て俯いて眉を寄せただけで、傍に控えている侍医に、処方箋は後で書いて送ると約束した。傷口に塗られていたのが鉛丹膏で、鉛丹膏が丹毒を引き起こしているのは一目瞭然だったが、その場で伝えないのは侍医の面目を潰さないためのシーボルトの配慮であった。

　この日の夜、玄朴と静海の二人は阿蘭陀語と日本語の筆記を照らし合わせた。玄朴の阿蘭陀語筆記よりも的を射た静海の日本語筆記の方がよくできていた。想定していた通りではあったものの、玄朴は少々悔しくなった。鳴滝塾で阿蘭陀語が一番苦手な静海に負けたような気がしたからである。当の静海は、

「今時気の利いた蘭方医なら鉛丹膏など塗ったりせぬのに、こともあろうに侍医に手当てさせてあのような目に遭われるとは気の毒なことだ」

苦々しそうに口にした。玄朴は患者と医療のことしか心にない静海にも負けたような気がした。

――俺は些細（ささい）な勝ち負けばかり気にしている器の小さな奴だ――

それでも精一杯、

「我らが侍医だったら丹毒にならずに傷を治癒させられる、適切な処置ができたのにな」

玄朴が見栄も手伝って応えると、静海は嬉しそうににっこりと笑った。その一方、

「お大名家の侍医かあ、遠い階位だがいつかお傍にまいりたいものだ」

百姓上がり同然の玄朴が劣等感の塊になっているとも知らず、静海は無邪気な野心をちらつかせた。玄朴は、この時、静海のおおらかな屈託（くったく）のなさに救われる時が、これからも度々訪れるのだろうと思った。

七日が経ち、今度はシーボルトのもとを、探検家で江戸幕府普請役（ふしんやく）の最上徳内（もがみとくない）が

訪れた。出羽（現 山形県、秋田県）の貧農の長男に生まれた最上徳内は商家に奉公しながらも学問を志し、下人扱いではあったが幕府の蝦夷地調査に随行するなど九回、蝦夷地に赴き、入牢なども経験した後、抜群の体験と能力を認められ、蝦夷地の専門家として異例の立身出世を果たした人物であった。

玄朴は最上徳内については何も知らなかったが、一目見て、胸が高鳴った。普請役の身分にふさわしい形はしていても、一見冴えない小男で年齢は七十歳を超えている。ただし、全身に終生宿り続ける野心の炎がたぎっているのが仄見えた。貧農出が上り続けてきた証でもあった。とはいえ、その正体が子孫の栄達をも含むさらなる栄誉欲なのか、自身の蝦夷地の専門家としての誇りなのか、どちらかを見極めることまではできなかった。

徳内は互いに精通しているとわかった数学の話を阿蘭陀語でシーボルトと交わしていたが、そのうちに言葉がラテン語に変わると、蝦夷の海と樺太島の略図が描かれている二枚の画布を取り出してシーボルトに渡した。受け取ったシーボルトは、「お借りいたします」と今まで玄朴が見たことのないような真剣な表情で応えた。いつもの陽気で人当たりのいい雰囲気のシーボルトとは別人のようであった。

――これはきっとよほど大事なことなのだろう――

玄朴の全身に緊張が走った。徳内は翌日も訪れ、時々言葉がラテン語に変わった。昨日と変わらずシーボルトは真剣そのもので時折、きらっとその目を輝かせた。それからも、シーボルトは、しばしば通ってきてくれる徳内とアイヌ語辞典の編纂(へんさん)の話をしたりしている。いつになくシーボルトは上機嫌であった。

「先生は最上様に生気を頂いているかのようだ」

玄朴が口走ると、

「あんな老人にか。その逆ならわかるが――」

静海が茶化(ちゃか)した。この時ほんの一瞬ではあったが不吉なものを玄朴は感じた。その思いは静海も同様であったらしく二人は思わず顔を見合わせた。

玄朴は記録係として常に傍にいるせいなのか、シーボルトをこんなにも喜ばせる徳内のような存在に、自分もなりたいと思い始めていた。認められたい、出世したい、そのためには阿蘭陀語の上達は必須であった。そして、阿蘭陀語は今の時代、野望への階段になる。その一方で玄朴は何か重要な医術を習得しなければという思いを抱えていた。そんな折、シーボルトが子どもの痘瘡(とうそう)と種痘(しゅとう)の話を幕府の侍医たちとしていたことがあった。

「イギリスの医師エドワード・ジェンナーが掌に牛痘(ぎゅうとう)のある乳搾り女だけが痘瘡に罹(かか)らないことに着目し、牛痘漿(しょう)が痘瘡の強力な予防法として発表されたにもかかわらず、民たちの間では牛痘漿を接種すると牛になると言われて苦労したそうだ。〝神の乗った牛の聖なる水〟と説明したおかげで、痘瘡から多くの者たちの命が救われている」

とシーボルトは熱く語った。

痘瘡とは疱瘡とも言う天然痘のことで仏教の伝来と共に大陸から日本にやってきて以来、多くの死者を出した病気である。死に至らなくても顔、身体にひどい痘痕と呼ばれる瘢痕を残すため見目定めの病と言われ、命定めと言われた麻疹と共に大変恐れられていた。

その症状はまずは高熱や頭痛がある。数日で解熱するが、口の中や咽頭に発疹が現れ、唾液飛沫として、ウイルスを体外に出す。それを吸い込んだ者が感染する。その後、発疹は顔や四肢、そして全身に広がる。その発疹が水疱になる頃、再度熱が上がる。その水疱の内容物が膿になると、瘡蓋ができ、完全に落ちると治癒となるが、その瘡蓋にも感染力があるから注意の必要があり、治癒までは隔離をしなくてはならない。この瘡蓋が痘痕を残すのである。また、引き起こされた敗血症や肺炎、脳炎などの合併症で亡くなることもある。

その渦中を生き存らえた者たちの子孫、主に子どもたちが罹患することから、子どもの病とされていた。治癒しても顔に瘢痕を残すので、たいていの大人たちの顔には瘢痕があった。この瘢痕がある者は二度と罹らないことがわかってくると、軽く済むようにとの願いをこめて日本各地でも人痘漿による種痘が行われてきている。人痘漿は人痘とも言う。人痘は実際の痘瘡を軽く患わせることなのだが、成功不成功はその子どもの体質によるところが大きかった。虚弱な子どもはほぼ間違いなく重症化して、痘瘡が内臓まで侵して死に至った。

　種痘は痘瘡の予防接種のことであり、一般的には独特の器具にワクチンを付着させ、人間の上腕に刺し、傷をつけて皮内に入れる方法であるが、天然痘ウイルスが撲滅されたことから一九七六年以降、日本では種痘は実施されていない。

　種痘を日本に導入するには、将軍が命を下しさえすればよく、そうなれば、その恩恵を日本中の子どもが得られるのだという。玄朴は、今、種痘に自分の前途を照らすまばゆい光を感じた。

　シーボルトの言葉を書き記しながら、玄朴は故郷にいる頃に痘瘡の患者を看取った時の忘れられない思い出に引き戻されていた。

　玄朴の故郷肥前は神埼郡仁比山村でも、毎年子どもたちは痘瘡の脅威に晒されなければならなかった。寒さが厳しい冬場は人々の体力が弱る。体力の劣る子どもたちは痘瘡に罹りやすかった。痘瘡に子どもが罹ると、隔離して家の外へ出さないのが決まりなのだが、それでも感染力の強いこの疫病は村中に蔓延した。その頃、玄朴は漢方医古川左庵に師事して『傷寒論』を読破する等の漢方修業の後、開業していた。

　十六歳になったばかりの庄屋の娘八重(やえ)は、痘瘡に罹り、頭痛、腰痛、額が燃えるような高い熱を出して玄朴を頼って来た。井戸水に浸して絞った手拭を替えて、額を冷やし続けるよう告げた玄朴は、毎日八重の元へ通った。四日して熱は下がったが、これで終(しま)いでないことは誰もがわかっていた。頭部、顔面を中心に肌の色と同じか、またはやや白色の豆粒状の丘疹(きゅうしん)が生じて全身に広がっていった。熱がそう高くはない時は、通ってくる玄朴に八重はしきりに話しかけてきた。

「お医者様はどうやって効き目のある草木を見分けるのでしょう」

「経験です」

　と答えると、

「あたしも早くこれを済ませて見分けてみたいわ。あたしね、お医者になりたいんです。お医者様って病で苦しんでいる人たちの光になれる、素晴らしいお仕事ですよね。自分が始終病気ばかりしていたからお医者様の有難味がよくわかります。先生、あたしを是非お弟子にしてくださいね」

　八重はじっと玄朴を見つめた。目が潤(うる)み、呼吸も乱れている八重が必死に言葉を紡ぎ、夢を語る様子に、玄朴の胸は痛いほど高鳴り、痛みだけが痺れたかのように重く腹部へと落ちていった。九日目に再び八重は酷い高熱に浮かされるようになった。待ち望んでいたかのように庄屋では一家を上げて疱瘡神まじないの熱気が高まった。赤が病魔を祓うという俗信からすっぽんの生き血が神棚に捧げられ、鍾馗、金太郎、獅子舞、達磨等、子どもの成育にかかわるものが多く描かれた赤絵が病室の壁に貼られた。

「大丈夫でしょうか」

庄屋は玄朴の顔を見るたびに念を押した。八重はもう一言もしゃべれずに、高熱にうなされている状態だった。

「いまが勝負どころです」

とだけ玄朴は繰り返した。

疱瘡神除けに赤い物を用いるのは、疱瘡のときの赤い発疹は予後が良いからだという思い込みもあるが、これは張り子の犬や他のまじない同様俗信にすぎない。疱瘡による病変は体表面だけでなく、目には見えない五臓六腑にも同じように現れるが、そこまで見通すことが医者にはできにくい。

そんな緊迫した日々が続き、とうとう八重は逝った。

玄朴はこれほどの無力感に打ちのめされたことはなかった。張り子の犬などではない本物の犬たちが一斉に牙を剝いて襲いかかってくることさえ願った。空しく、口惜しく無性に自分を罰したかった。

八重を看取った時のことは長い間、玄朴の裡で封印されていた。しかし、シーボルトの種痘の話を聞いて、玄朴は痘瘡の瘡蓋に覆われて死んだ時の八重ではない、はじめて目にした時の美しい頬をほんのりと染めていた、八重の天女さながらの容貌をはっきりと思い出していた。

――もし、あの時、種痘を受けていたとしたら死なずに済んだのに――

痘瘡は八重ばかりではなく多くの子どもの命を奪い、国の礎（いしずえ）である民の数を減らしてきたのだ――。

『種痘こそ八重との夢なのだ』

玄朴がそう、心の裡で言い聞かせていると、

「この国では夢のような種痘の話だから微笑んでいるのか」

種痘の話をしていたシーボルトが、不思議そうに玄朴を見つめているのに気がついた。

「夢が夢でなくなるようにしたい」

珍しく玄朴はまっすぐにシーボルトを直視した。この時のシーボルトの眼差しは温かかった。同時に、自分の一言にシーボルトが感動しているのだと気づいた玄朴は、痺れに似た重みとも快感ともつかない痛みに酔いしれるのを感じた。得（え）も言われぬ完全で美しい野望――。

〈つづく〉

遠楓ハルカの捜査日報

道頓堀で別れて

中編

松嶋智左
Matsushima Chisa

式典は午後五時に始まり、徒歩パレードをしたあと六時ちょうどに、面々を乗せた船は発着場を離れた。コースは延長二・七キロ、川幅はほぼ真ん中の大黒橋を境に東側が五十メートル、西側を三十メートルとするほぼ一直線の川を往復するものだ。この大阪で一、二を争うほど有名な川は南北に走る東横堀川と木津川のあいだを結ぶように東西を流れる。元は歌舞伎座などの芝居小屋への客や役者を乗せるためのものだったが、今はミナミという繁華街のネオンを映す観光名物となった。短い距離ながら橋がいくつもかかっており、有名なのが戎橋だろうか。客引きの黒服やナンパ目当ての若者がウロウロするところから、ひっかけ橋などという別称をつけられている。大阪を訪れる観光客はこの橋に立ち、南側の壁面にあるグリコの看板をバックに写真を撮る。

響子(きょうこ)らの船はそんな橋の下をくぐりながら東横堀川に出る手前で折り返し、再び湊町(みなとまち)リバープレイスに向かった。そのときだ。

下大和橋(しもやまとばし)を越えた辺りで、響子が隣にいる署長に、あそこに夫の部屋があるんですよ、と少し先に見えるマンションを指差した。二十分程度のクルーズもあと少しというところで、やれやれと思う気持ちもあったのだろう。署長らも気安く応じる。

「ほう、そうでしたか。それならご主人も今日のイベントにお見えですか」

「さあ、どうでしょう。お酒でも飲んで寝ているのじゃないかしら」

「おやおや、それは残念ですね。せっかく美しい奥さまが警察署長をされているのに」

船がほぼ、マンションの真下辺りに近づこうとするとき、もう一度目を向けた。

「あら、窓のところにいるみたいですわ。ほら、緑のスウェットが見えます」

ああ、本当だ、と署長のほか署員、防犯協会長、安全協会長ら数人が顔を上げて件(くだん)のマンションの七階を見つめた。確かに窓が半分ほど開いていて、人影があった。響子がすぐに笑顔で手を振るのに、署長らも合わせて手を上げたときだ。突然、その開いた窓から、スウェットを着た男が飛び出し、目の前を落下してゆくのを目撃したのだ。

船の上からも、また川沿いに集まっていた人からも悲鳴が上がった。マンションの窓は低い柵があるきりで、真下は川に沿った細いコンクリート敷の道。緩衝材（かんしょうざい）になる植え込みも庇（ひさし）もない七階からだから、助かる見込みは薄い。万が一助かっても、重篤（じゅうとく）だろう。

ミナミのど真ん中で事件が発生した。しかも署長の目の前で起きた事件なのだから、大変な騒ぎとなった。観衆が異様な興奮状態になったのは否めない。だが警察署主催のイベントの最中だから、すぐに適切な対応がなされた。交番からも多くの警察官が出動していたお陰で人出に不足もなく、処理も迅速（じんそく）に行われた。道頓堀川（どうとんぼりがわ）に沿って走る東西の道は狭く、しかも船乗り込みが行われるというから人通りだけでなく、車両の通行もいつも以上に多かった。パトカーが近くまで行くのは難しく、大勢の警官が徒歩で向かい、救急車への搬送も担架（たんか）で運ぶしかないと思われた。だが、実際は救急車を使うことはなかった。

「既に亡くなられていた、と？」

ハルカがいうと、響子は青ざめた顔で、ハンカチを口元に運ぶ。

「そうですか。ところで、こちらの部屋ですが、奥さまは今日、何時ごろこられましたか」

「え。いえ、今日はわたし、この部屋には入っておりませんけど」

「あ、そうですか？」

ええ、と頷く。夫が仕事用に借りているもので大阪にきても寄らないことが多い、と説明する。

「では、大阪でお仕事があったときも、ここには泊まられない？」とハルカがなおもいうのに、響子は首を振った。

「集中できないと夫が嫌がったので。わたしもホテルの方が気楽でしたから」

「ああ、なるほど。ところで、込み入ったことをお尋ねしますが」

「はい？」

「ご主人が浮気をされていることは、いつごろお気づきになられました」

前回までのあらすじ

女優としてブレイク中の英響子は、いつまでたっても芽が出ず、完全なヒモ状態の夫の巧から、過去に響子が組関係者と一緒に映っている写真を持ち出され、その写真をマスコミに出すと脅される。完璧と思える計画で夫を亡き者にした響子のもとを、事件を聞きつけた大阪府警の遠楓ハルカ率いる遠楓班の捜査員が訪れた。

響子の目が見開く。同じように佐藤も目を瞠った。立ったままの緒方が、妙な声を発して顔を歪める。久喜は平然とした顔で、じっと響子を見つめていた。

「な、なんですか。それはどういう意味でしょう」

「え。そのまんまの意味ですけど。ご主人、月岡巧さん、こちらで女性と過ごしておられましたよね。そのことはご存じですよね？」

「どうしてわたしが知っていると」

「え、だって椅子に座ってはるから」

いきなり口調が砕ける。

「椅子？」

「それ、木の椅子ですよね。お座布団もないみたいやし。こっちのベッドの方がよほど広いし、ゆっくりできるやないですか。その警察官の制服、案外、窮屈でしょう？ わたしももちろん着ていたのでわかります。今どき、ブレザーとスカートのスーツやなんてねぇ。公立の女子高生かっていうの。肩は凝るし、ウエストはゴムやないし。今どき、外に出る仕事なら大概の女性警官はパンツ姿です。確かに式典はスカートと決まってますけど、こんな寒い時期に船遊びですよ。冷えるに決まってるやないですか」

「は、班長」思わず佐藤はうろたえた声を出す。ハルカはじろりと睨んで、ひと言

「なん?」といって、すぐに話を続ける。「十二月に入ってから寒さが増して、今日は昼間でも五度にもならへんかった。寝室のエアコンは切ったまま。鑑識作業があるからつけるわけにもいかへんし。そやから足腰冷えておられるやろうに、そんな冷たい椅子に座っておられるのはなんでかなぁと。防寒用のダウンジャケットを羽織って、ショールを膝にかけてはおられますけど、そんなんではなんの足しにもならへんでしょう。なにせスカートの下は肌色のストッキング一枚ですもんね。わたしなら迷わずこのベッドに、足ごと上がります」

「そんなこと、たまたまで」

「それにほら、あちこちに散らばっているなかに女性のものがありますよね。もちろん、気づいておられますよね。ずっとこの部屋におられたんですから」

佐藤も思わず床を見る。確かにクローゼットから引き出されたものなのか、アクセサリー類や女性用の下着まで見える。

「ベッドに座るのが嫌やった。女性なら当然です。夫が浮気で使っていたベッドになんか触れたくもない」

そして、久喜さん、といきなり呼んだ。久喜は予測していたのだろう、すぐに答える。

「奥さまはこの部屋に入られて、散らばるものをご覧になりましたが、特段動揺する様子は見受けられませんでした」

　響子がむっとした顔で、「それは」といいかけるのをハルカが手を上げて止める。

「英さんが冷静な方だというのはわかります。先ほどの事件の様相を説明されるのも、まるでなにかのドキュメンタリーのナレーターを聞いているかのようでした」

「それはいくらなんでも失礼じゃないですか」緒方が吼えた。ハルカは素直に、すみません、と謝る。

「ご主人が目の前で殺害された。そんな尋常でない状況下でこの部屋に入り、女性の浮気の痕跡を目にしても動揺せず、ベッドを避けて椅子に座るだけの冷静さを保っておられる。ご夫婦仲は良くなかったと判断してもよろしいですか」

　緒方が、更にぎゃんぎゃん喚き始めたのを今度は響子が止める。

「わかりました。こんなことをいい争っても仕方ありません。いずれわかることでしょうから」そういって、響子は膝の上で両手を合わせる。「離婚の話し合いを進めておりました」

「それはご主人の浮気が理由で？　差支えなければお教え願いたいですが」

　響子は憂いに満ちた表情で首を傾ける。それすら美しい仕草だと佐藤は思った。

「そうですね。それもありますが、夫が仕事に対して意欲を持てなくなったということが一番かもしれません」

「それはつまり、女優英響子にたかるヒモ状態やったということですか」

は、班長、と佐藤が再びうろたえた声を上げる。なぜか響子は、ハルカを真っすぐ見つめて子どものような笑みを広げた。

「遠楓（とおかえで）さん、えっと、警部さんでしたわね。面白い方ですね。いつもそんな風な話し方をなさるんですか」

「そんな風とは？」

「いいえ、余計なことでした。そうです、夫はわたしをただの金づるとしか思っておりませんでした。ですので、離婚したいと申し出ました」

「でも、ご主人は承知されなかった？」

「ええ。土下座をしてやり直すとまでいいましたが、わたしは受け入れませんでした」

「なるほど。それでご主人が、奥さまのイベントにも顔を見せなかったということにも納得できます。では、月岡巧さんに恨みを抱いている方に心当たりはありませんか」

　響子は思案顔をする。

「ご存じかもしれませんが、仕事に行きづまって罪を犯したことも、いくつものスキャンダルを引き起こして騒がれたこともあります。大勢の方に反感を抱かれている可能性はあるかと思います」

「奥さまのファンからも恨まれていたかもしれませんね。そんな男は、女優英響子に相応しくないと」

「さあ、どうでしょう」

「お心当たりはない？」

「はい」

「ところで、ご主人が落下する際、窓の近くやガラス越しに人影や不審なものなど見かけてはおられませんか？」

「いいえ、全く。誰もなにも見ておりません」

「そうですか、わかりました。お話ありがとうございます。またあとでお伺いするかと思いますが、取りあえず失礼します」

ハルカは久喜に頷いてみせる。そして、「佐藤くん、松葉杖をちょうだい」と両手を伸ばした。

「あの」と響子が戸惑うように口を開く。「まだここにいないといけません？」

松葉杖を両脇に挟んで振り返る。「もう少しだけお待ちいただけますか。どのみち、司法解剖になりますので、ご主人のご遺体はすぐにはお帰りいただけないですし」

マネージャーらしく緒方がすかさず抵抗する。

「それならホテルで待っていてはいけませんか。今後のことを色々、事務所と相談もしなくてはならないですし」

ハルカは鷹揚にふんふんと頷くが、断固とした口調でいった。

「今夜ひと晩は我慢してもらえませんか。殺人事件ですので」

響子は緒方と顔を見合わせたあと、ハルカに「わかりました」と告げて膝の上のショールを引き寄せた。

ドアを出たところで、いきなりハルカが首だけ戻す。佐藤は慌てて、妙な態勢でふらつかないよう松葉杖ごと支えた。

「あ、それとあとひとつ。弁護士さんはやっぱり東京の方ですか。教えてもらっといた方がなにかと都合がええんですけど」

「え。弁護士なんかまだ頼んでいませんけど」響子が怪訝そうに見返す。

「あれ、離婚の件で英さんの代理をされている方はいないんですか」

「あ、離婚の。いえ、その、弁護士はいれておりませんの」

「そうなんですか。わかりました」

そういって廊下に戻ると、ハルカはひょっこひょっこ杖を突きながらリビングに向かった。

*

殺人現場だ。

佐藤は緊張した面持ちで部屋を見渡した。さきほどの寝室よりは広い。この部屋も酷く荒らされていた。八畳くらいはあるだろうか。左手がキッチンスペースで、流し台にコンロ、小型の冷蔵庫やレンジ、食器棚などが並ぶ。それに続くようにリビングがあり、ローテーブルと二人掛けのソファが正面、つまり窓側を向いている。道頓堀川に面した窓は、高さ一メートル、片面六十センチ幅ほどの引き違い窓で、左側が半分ほど開いていた。月岡巧はそこから落下したのだ。

カーテンは開けられている。窓のすぐ側にはテレビがあって、佐藤が今まで見たなかでは一番大きいサイズではないだろうか。窓のほとんどが塞がってしまっているが、裏側には人一人入れるだけの隙間はある。犯人はそこから窓を開けて、月岡を突き落としたということになる。

自殺説は最初から否定された。理由は、結束バンドで両手両足が縛られていたからだ。口もガムテープで塞がれ、落下によるものとは思えない傷も顔面に見受けられた。遺体を見たハルカは、即座に本部に連絡を入れ、一番に検視して報告をもらいたいと告げた。詳しい死因は司法解剖を待ってからだが、その前に検視官による確認がなされ、それでおよその死亡時の状況や死亡推定時刻などがわかる。

窓の周囲には気にかかるものが落ちていた。色んなものに混じってしまってはいるが、目を引くものがいくつかある。鑑識が置いた番号札を避けながら確認していく。

プラスティックの料理用ボウル。野菜を洗ったりするときに使う半球型のものだ。なかに食べ物でも入っていたのかもしれないが、なぜリビングにあるのか。あと長さ一メートルほどの白いつっぱり棒。一・五メートルまで延長できる。長さの違う細い紐が二本と近くに洗濯バサミがいくつか散らばっている。それ以外は、ビールの空き缶、おつまみのピーナッツ、小皿、雑誌、新聞、ビデオ、ティシュボックスなどだ。ビールがこぼれたのか、窓の近くのカーペットが濡れて色を変えていた。

久喜が、ビニール袋に入れられたスマホをポケットから取り出す。

「これがそのつっぱり棒の側に落ちてました。月岡巧のもののようですね。まだ詳しくは確認していませんが、午後六時十五分にアラームがセットされてました。音でなくバイブのみ」

「バイブのみですか？」

佐藤が繰り返すと、久喜は頷いた。

「スマホにロックはかかってなかったん？」とハルカ。

「かかってましたけど、奥さんに訊いてみたら、たぶん生年月日やろうっていわはったんで試したら、すんなり開きました」

あまり用心深いタイプではないようだ。いい加減というのか。

「班長、事件前後の様子を撮った動画があるようなので、持ってこさせましょか。それとも大中まで行かれますか。署員が撮ったもの以外にも、見物人が多くいたお陰で相当数の動画がネットで流れています。それらもいちいち確認はしているようですが」

同じく遠楓班の刑事、鶴見巡査部長がキッチン側から声をかけた。久喜警部補に仕込まれたという鶴見は三十六歳のバツイチ。背が低く小太りだが柔道の猛者だ。佐藤は一課にきて早々、柔剣道修練月間ということで鶴見と組み合ったが、最後まで投げられっぱなしで一度も勝てなかった。

ハルカは鶴見を見ながら、「取りあえず、所轄が撮ったものだけでいいから、こっちに持ってこさせて。すぐに見たいわ」といった。

「了解。あと、マンションの防犯カメラも確認してもろてます。裏口のカメラが壊されたのが今日のことらしいんで、それ以前のものは残っているかもしれません」

「そうなん。そしたら、それもこっちにもってきて」

「了解」

　ハルカは松葉杖で器用に落ちているものを避けながら、テレビの裏側まで行く。窓から顔を覗かせた。道頓堀沿いは鮮やかなネオンが瞬いており、川面も光を映して小さな輝きがさざ波を立てている。向かいのビルの赤いネオンがちかちか光って、ハルカの顔を赤く染めた。

　窓から下を見る。屯しているマスコミ、スマホを翳す野次馬ら、それらを懸命に制御している制服警官を見つけて、慌てて顔を引っ込めた。再び部屋のなかを眺めていると、リビングの棚に取りついていた玄巡査部長が、一冊の雑誌を手に近づいてくる。

「これが今の月岡の彼女のようですな」

　玄は五十五歳。刑事という仕事が好きでたまらない大ベテラン。いつまでも現場に出ていたいから昇任試験も適当にしてきたという噂がある。いわゆる職人気質だが、気難しいとか独りよがりということはなく、むしろ気前良く、訊けばなんでも教えてくれる好人物だ。

　雑誌の折れたページに読者モデルの欄がある。月岡のスマホにある写真と同じ女性で、名前のほか十九歳で、芸人養成課程のある専門学校に通っているとのキャプションがあった。

「ふうん」わたしと十五も違うのかとぶつぶついう。

「わしが当たりましょか」といって玄がオールバックの頭をずるりとなでた。

「あー、ええわよ、玄さん。そんなん所轄にやってもろて」

佐藤は驚いた顔のまま、雑誌の写真からハルカへ目を移す。「いいんですか。月岡のことでなにか知っているかもしれないのに」

「え、なにかってなに？　犯人に心当たりとか？　もしそうやったら所轄に手柄取られるとか？　佐藤くん、今どき、そんなんいうてたら笑われるわよ。事件を解決するためには一致団結、所轄も本部もない、刑事はひとつになってこそ、世界もひとつになるんよ」

からかわれているとわかって、むっとする。そんな佐藤の表情を見て、ハルカが天使のような笑顔を見せる。思わずドキリとして、佐藤は赤くなりかけた顔を俯けた。

「心配せんでええよ。目ぼしはついてるから」

「はい？」なにをいっているのかわからない、という顔をしているのは佐藤だけで、久喜、玄、鶴見は真剣な目つきになって、きゅっと口を引き結ぶ。黙ってハルカを注視した。

　ハルカは左の松葉杖を振り上げ、宙でぴたりと止める。廊下の先を差している。

「英響子。遠楓班は彼女を追いつめるわよ」

「わかりました」「了解」「おっす」

　三人がいっせいに返事をする。佐藤は、啞然として立ち尽くした。

＊

　リビングのソファに散らばるピーナッツなどをどけて、どうぞ、とハルカはいった。

　大阪中央署から、今日のイベントの様子を撮った映像を借りてきたので一緒に見てもらいたいと誘ったのだ。響子は一瞬、困ったように眉を寄せたが、諦めたように寝室の椅子から立ち上がった。マネージャーの緒方が同席するとごねるがハルカが一蹴した。

「物が散乱している上に、こんなでかい人間もいたりするから部屋が狭っ苦しい」

　そういって松葉杖で佐藤の足下から頭までを何度も差し示す。「この上、マネージャーさんに側におられていちいち、いえ、都度都度、お問い合わせや抗議のお口を挟まれたのでは、ちっとも進みませんよって」少しのあいだ向こうでお待ちくださいといって背を向けた。憤怒の顔をする緒方を久喜と鶴見が宥め、寝室で待機してもらう。

響子がソファの右側に座り、ハルカが隣に座る。警察官の制服を着た女性とギプスを付けた女性、どちらもタイプは違うが美しく、まるでなにかのドラマのシーンのようだ。ぼうっとする佐藤に鶴見が囁く。「杖が飛んでくるぞ」

慌ててテレビに映像が映るようにセットし、いわれるままクルーズの部分を流し始めた。画面が大きいので迫力がある。響子の顔はアップになっても美しい。

わあ、綺麗、夜目にも女優さんはさすがに光って見える、周りの連中が道頓堀川の泥のように沈殿して見えるから余計やわ、などとミーハー的な発言を投げながら見始める。響子も仕方なさそうに、どうも、という。気を遣って、「若くてお綺麗な警部さんなら、ライトを浴びられたら、わたしよりもいっそう美しく輝かれますわ」というと、そうでしょうね、と恥ずかしげもない返答。

ふいに止めて、といわれる。佐藤は慌てて映像を止めた。

「このあとですよね。大阪中央署の署長にご主人の姿が見えるといわれたんは」

響子は、顎の下に細い指を当てて思案顔をした。「そうだと思います」

「緑のスウェットが窓際に見える、っていわれたそうですけど」

「はい？　ああ、そうですか。よく覚えていませんが、そういったのなら、たぶん」

「実際、月岡巧さんは緑の上下のスウェットを着ておられました。でも、それは今日、この船の上で知ったんやないですよね」

「それはどういう意味ですか」

「つまり事前に知っておられた。このイベントの前に、響子さんはご主人に会っておられたのではないですか」

　響子は美しい目をじっとハルカに注ぐ。「いいえ」小さく胸を上下させる。「いいえ、今日は一度もこのマンションを訪ねておりません。そう申したと思いますが」

「はい。そのように伺いましたが、それならなんで、ご主人が今日、緑のスウェットを着ておられることとご存じやったんでしょう。寝室を見たところ、色んな色のスウェットがありました」

「それはだって。月岡の部屋に人影があったのですから、夫だと思いますでしょう」

「緑のスウェット姿をご主人だと思われた」

「そうです」

　送って、とハルカがいうのに、佐藤は素早く操作した。やがて、響子が指を差しながら署長らに主人だといっている映像が流れた。カメラを持っていた人物もその会話が聞こえたのだろう、窓へとズームした。

あ。思わず佐藤が呟く。映像が持ち込まれて、ハルカはさっと早送りで見ていた。佐藤も隣で同じものを見ていたのだが、気づかなかった。緑のスウェット姿の遺体を先に見ていたから、そう思い込んでいたのだ。

窓に見える人影は、赤いネオンを浴びて濁った黄色に見えた。響子もそれに気づいたようだが、顔色ひとつ変えず黙っている。

「緑には見えへんのですが、なんで緑やとおわかりになったんでしょう」

ハルカを振り返り、響子はにっこりと女優の笑みを見せる。「夫はことのほか緑のスウェットを気に入っておりましたから、咄嗟にそれが口に出たのでしょう。ネオンを浴びて、多少は色が変わって見えますけど、全く見えないこともないと思います」

ハルカも負けじと婉然たる笑みを浮かべた。

「なるほど。では、今度はこちらを見ていただけますか。佐藤くん、防犯カメラにして」

すぐに準備していたものに差し替える。テレビに映し出すが、さすがに画質が悪い。かろうじてわかる程度だ。

「ここの裏口のカメラですが、今日の朝までのは、残ってました。あ、ほら、これです」

　地味なコートと帽子を目深に被った女性が俯きながら素早く通り過ぎる。

「これって、顔を隠していますが、英さんやないですか」

「わたしは今日、ここにはきておりません。何度もそう申しています」

「あ、やっぱり否定されますか。うーん、今の科学技術をもってすれば、歩き方や仕草である程度特定できるんですけど、否定されますか」

　響子は頬の辺りを強張らせながらも、違いますという。ハルカは肩を軽くすくめた。

「わかりました。ただ、このあとすぐカメラが壊されたんで、出てきたところの映像はないんです。玄関の方は動いていたので、マンションの住民や訪問者、宅配の人なんかが出入りしたのはちゃんと映っています。ただそこにこのコートの女性の姿はありません。念のため、住民なのかどうか、明日の朝から確認を始めるつもりです」

「そうですか」響子は乾いた声で返事する。

　ハルカはじっとそんな様子を見つめ、やがてテレビを向く。

「佐藤くん、映像はもうええよ。では、英さん、次にこちらを見ていただけますか」

　響子はローテーブルの上に視線を移した。そこには野菜を入れるボウル、つっぱり棒、紐、洗濯バサミが置かれている。

「これに見覚えは？」

「さあ。先ほどもいいましたように、わたしはめったにここにはこないのでなにが置いてあるのかは把握していません。この部屋にあるのですから、夫が買い求めたものだと思いますけど」

「どれも量販品なので、誰が買ったのかは特定できないと思います。ただ、どうしてこんなものがリビングにあったのか、不思議に思われません？」

「え。ええ、そうですね。でも野菜のボウルなんかはなにか食べ物を入れてテーブルに置いていたのかもしれません」

「この棒」といってハルカは手に取る。「どっかの壁に設置していたのならわかるんですけど、ご覧の通り、この長さがちょうど嵌まるいい場所はここにはないんです。お風呂場とかキッチンの方ならないこともないんですけど」

「そうですか。本来の使い方でなく、別の用途でここに持ってきたとか」

「別の用途？」

「夫は芸人でしたので、それを使った芸を考えていてリビングに持ち込んできたのでは」

「ああ、なるほど。確か、タックンはピン芸人でしたね。こういう小道具を使って、お笑いのためのアイデアを考えていたということですか」

響子は鷹揚に頷く。

「では、きっとこの紐や洗濯バサミも、そういった小道具かもしれませんね」

更に頷く。

「氷とかも？」

「え」

「そこです」とハルカは窓とテレビのあいだを指差す。「その窓の側のカーペット、濡れてますでしょう。さっき鑑識に確認したら、ただの水道水やったそうです。こぼしたか、氷が溶けたんやないかって」

「そうですか。お酒を飲むのに使ったのでしょう」

「え。でも、飲んではったのは缶ビールですけど。缶の口から氷を入れるとは思えませんし。グラスもありませんでした。氷でなく水やとしたら、ビールを薄めて飲むということになりますけど。ひょっとしてご主人、そういう飲み方をされてました？」

響子の黒い目は左右に揺れ、短い沈黙のあと、「いえ、わたしは見たことありません。そうですね、お酒用でないのなら、やはり芸に使う小道具だったのじゃないかしら」と力なくいう。

ハルカが、あ、と思い出したような声を上げた。響子だけでなく、佐藤まで反応して顔を見つめた。

「なんか変やな、と思ってたら、今、思い出した。英さん、さっきはご主人、仕事への意欲をなくしてヒモ状態やったっておっしゃってませんでしたっけ。そんな人が小道具を用意してネタを考えてたっていうのは？」

響子がぐっと唇を噛んで堪える顔をした。なにかいおうと口を開いたと同時に、まあ、たまには仕事をしてみようと気まぐれを起こされることもあるでしょうしね、とハルカが先にひとりごちると、すぐに話題を変えた。

「それはうちの備品の靴やないですね」

響子も自分の足元に目を落とす。「ええ。わたし、足の形が悪いので申し訳ないですけど自前のでと、お願いしました。黒であれば構わないとおっしゃったので」

「ええ、構いません。わたしも、備品の靴はダサいなぁって日ごろから思ってましたし。細いヒールですね。見せてもろてもええですか？」

「は？　ああ、はい。どうぞ」

響子は右足から七センチヒールの黒い靴を手に取ると、ハルカに差し出した。ハルカはしげしげとヒールの底を眺め回す。響子が落ち着かない声を出した。

「それがなにか？　変なものでも踏んでいましたか」

「ああ、いえ、すみません。この形が気になって」

「形？」

「ええ。ご主人、月岡巧さんの体に小さな赤い痣みたいなんがあるんです。生前つけられたものだそうで、わりと最近できたものらしく。その形をさっき検視官からスマホに送ってもらって見たら、なんや、このヒールの底の形にそっくりやわ、と、とと」

　響子がぱっとハイヒールを奪い返した。

「失礼なこといわないでください。わたしが主人の背中をこれで踏みつけたとでも？」

「ああ、いえいえ。ただ、念のため、確認させていただけたら」

「お断りします。そういうことをするには確か、それなりの手続きとかがいるんじゃないですか」

「もちろんです。失礼しました、では、今は遠慮させていただきます。あ、ところで」

「なんですか」響子は顔色を少し青ざめさせ、眉間の皺を深くさせた。

「どうして背中やと？」

「はい？」

「どうして赤い痣がご主人の背中にあると思われたんです？」

響子の目が少しずつ大きくなってゆく。「それは、さっきおっしゃったじゃ」

「あれ？　わたし、そんなこというたかな？　佐藤くん、わたし喋った？」

佐藤は、「いいえ」といって首を振った。後ろに控える久喜と鶴見も首を振る。

響子はむっとした表情を作り、「なんとなくそう思っただけです。まさか顔を踏んだりはしませんでしょう」

「そうですね。ただ、顔と違って背中を踏むためには相手がうつ伏せになってないとあかんのですけどね」

響子は、苛立ったようにソファから立ち上がる。「もうよろしいですか。疲れましたのでホテルで休みたいんですけど」

「あー、もう少し、もうちょっとだけ。ご主人、午後六時十五分になにかご予定とかありましたでしょうか」

響子はハルカを見下ろしながら、午後六時十五分？　と繰り返す。

「はい。ご主人のスマホがその時間にバイブするようセットされていたんです。まさか目覚ましとは思えないですし、なんかの予定に間に合うようにアラームをかけておられたんかなぁと」

「知りません。何度もいいましたけど、今日はこの部屋にはきておりませんし、夫とも話をしておりませんから」

「あら、そうですか。わたしはてっきり、奥さまの晴れ舞台、英響子の船乗り込みを見損なわないようセットされたと思うたんですけど。そんな風には微塵(みじん)にも思われませんでした？　六時十五分ごろ、正しくこのマンションの下辺りを通過しましたよね、船が」

　響子は口を引き結ぶ。更にハルカがひとり言のように呟く。

「あー、そっか。ご主人が船を見ようとしてセットされたんやなくて、逆ということもあるかぁ」

　すかさず久喜が、「逆とは？」と問いかける。

「うん、ご主人が船を見ようとしたんやなくて、船から月岡巧さんを見て欲しかったんかなぁって」

マンションの窓から落ちてゆくところを、といったところで、響子の顔面が歪(ゆが)んだ。美しい目が吊り上がり、唇がめくれてゆく。

「それって」ざらついた声。「それってどういう意味ですか。わざわざ船が通過するときを見計らって、夫が突き落とされるところを目撃させた、そういわれるんですか」

響子は立ったまま腕を組み、鋭い視線を注ぐ。

「わざわざそんなことをするのはなんのため？　船に乗っていたのはわたしです。夫が突き落とされたとき、わたしは船に乗っていた。これって完全なアリバイですよね。容疑から外れるってことよね。わたしのアリバイ作りが目的だといっておられるのかしら。つまり犯人はこのわたし、英響子だといっているんですね」

ハルカは瞬きせずに響子の顔を見上げていたが、ふいに大きく目を開くと、「ええっ」と頓狂(とんきょう)な声を出した。

「そんな、まさかぁ。わたしが英さんを疑っているやなんて、なんでそんな風に思われるんです？」

響子は、ハルカの芝居じみた反応に、呆れたといわんばかりの大きなため息を落とした。

「六時十五分にバイブするスマホ、そしてテーブルの上の妙な品々。それらを使って、わたしの乗った船が通過する時間に、夫が窓の外へ転がり出るようななにかの仕掛け、トリックっていうんですよね、それがなされた。刑事さんはそう思っておられる」

バカじゃありませんから、それくらいわかります、と響子はつんと顎を上げた。ハルカは照れ隠しのように、ギプスをした方の足をすりすりと撫で回す。

「ええ、まあ、実をいうとそういうことも考えてます」と素直に認める。響子を疑っていることを隠そうともしない。佐藤は、背中を冷や汗が流れるのを感じた。

響子は響子で、ハルカの正面切って挑んでくる態度に、怯えるどころかむしろ覚悟を決めたような強い色を目に宿し、再びソファに腰を下ろした。

「いいでしょう。では、肝心なことを教えてください。どうやって、夫が勝手に一人で窓から落ちるようにできるんですか？　そのトリックとやらはどういったものなんですか。いっておきますけど、夫は小柄ですが、それでも体重は六十キロ近くある男性です。わたしがどうやって夫をあんな風に縛り上げることができるんでしょう。窓際に運ぶことすらできそうにないわ」

「そうなんです。そこなんですよね。佐藤くん」

いきなり呼ばれる。

「なんか思いついた？」

「あ、は？　いえ。すみません」

仕方なく頭を下げる。現場を調べ始めてすぐにハルカから、スマホを含めテーブルの上の品物を使って、月岡巧を窓から転がり落とせる方法を考えろといわれていた。色々、考えてみたが思いつかない。そんなマジックのような、推理小説のような仕掛けが本当に存在するのだろうか。だが、実際、月岡巧は窓から転落し、完璧なタイミングで響子らは目撃した。

「思いつかへんの？　ええ大学出てるのに」

大学のレベルからいえば、国立大出のハルカの方が数段上だろうにと思いつつも、すみません、と頭を下げた。

「どうやら、このお話もここまでのようですね」響子が微笑む。吊り上がった目は元に戻っていた。「刑事さん、そのトリックがわかったら教えてください。それじゃ」


〈つづく〉

おいち不思議がたり

誕生篇 第七回

あさのあつこ
Asano Atsuko

謎に絡む謎

引っ掛かる？　何にだ？

松庵が眼差しで問うてきた。

おいちは仙五朗から父に移した視線を再び、仙五朗に戻す。

「似てますよね、親分さん」

「へえ、似てやす」

仙五朗はゆっくりと辺りを見回した。いつもより、目付きが鋭い。事件に関わるとき、仙五朗は目付きにも物言いにも仕草にも、一点、抜身の鋭さを宿す。鋭さの加減はその時々で露わにも密やかにもなるけれど、鋭いことに変わりはない。

おいちも松庵もとっくに慣れっこになっている。十斗だけが身を強張らせた。どうしてだか、メスの納まった箱をしっかりと抱え込んでいる。やはり、我が子を庇う母親にそっくりだ。どんな災厄も寄せ付けないと踏ん張っているおっかさん、だ。笑うところではないが、笑いそうになる。おいちは唇を結んで、横を向いた。

「似ているというのは何と何がだ？」

問うた松庵の声も僅かに震えていた。やはり、笑いをこらえているらしい。

「正助と平五郎でやすよ。よく似てやす。初めは殺され方が同じだとそこにばかり気がいってやした。しかし、ちょいとお頭が冷えてくると、他にもちょいちょい似てるところが見えてきやしてね。そうでやしょう、おいちさん」

「はい。あたし、正助さんとも平五郎さんとも、当たり前ですが会ったことはありません。けど、似ていると感じたんです。姿形ではなく、その、何というか……」

「身の上でやすかね」

仙五朗が助け舟を出してくれた。

「あ、それ、身の上です。二人とも実家との縁が切れていて、来し方がはっきりしない。おかみさんのお伊奈さんだって、ご亭主の来し方を全く知らなかったのでしょう。つまり、お伊奈さんと所帯を持つまでの平五郎さんについて語れる人は、今のところいないわけです。正助さんだって『菱源』で働いている姿しかわかっていないのですよね。天涯孤独だったという言葉はどちらにも当てはまります。そして、殺される前に誰かに会おうとしていたのも。正助さんは、はっきりしないけれど六間堀町に用があるとは新吉さんに伝えていたそうです。あたし、正助さんも誰かに会おうとしていた気がするんですが」

「しかしなあ」

と、松庵が口を挟む。

「天涯孤独な男が誰かに……平五郎ってやつは昔の知り合いだったかな、まあ、知り合いでも馴染みの女でもいいが、誰かに会おうとしていた。そんなのは、ちっとも珍しかないぞ。さっき親分も言ったが、江戸には天涯孤独な男なんてごまんといる。その男の内で、誰かに会おうと出かけるやつもたんといるだろうさ」

「でも、殺されはしないわ」

おいちの一言に、松庵が顎を引いた。

「う……まあ、確かにそうだな」

「しかも、同じようにメスで喉を裂かれて殺されたりはしないでしょう」

「そこでやすよ」

仙五朗が自分の膝を打った。バシッと小気味よい音がしたから、かなりの力が入っていたのだろう。

「どうも、お奉行所はこの二つの事件を結び付けて考えている。つまり、同じ下手人の仕業だと判じているようなんで」

「いや、親分、そりゃあ当たり前だろう。おれだって、そう思うさ。匕首でも包丁でもなくメスという巷じゃ珍しい道具を使っての殺しだ。二つの事件が関わりがないなんて言うやつは、いないんじゃないか」

「松庵先生！」

前回までのあらすじ

おいちは、江戸深川の菖蒲長屋で医師である父・松庵の仕事を手伝いながら、石渡塾に通っている。そして飾り職人の新吉と結婚し、子供を宿す。ある日、六間堀で若い男の死体が見つかる。男の懐からは、新吉が通う「菱源」の印が入った鑿と風鈴が出てきた。「菱源」の親方は、男は渡り職人の正助だと証言するが、新吉は疑念を抱く。一方おいちは、石渡塾で共に学ぶ和江が血飛沫を浴びている幻を見てしまい、不吉な予感に苛まれる。そんな折、瓦葺きの職人・平五郎が同じような手口で殺された。

十斗が叫んだ。語尾が裏返って、変に甲高くなる。

「そういう言い方は止めてください。それではまるで、メスが殺しの道具のように聞こえるではありませんか」

「え？　あ、そ、そうか。いや、そんなつもりは毛頭なかったが」

「この大和メスがこれからの医術にどれほどの助けになるか、真剣に考えてみてください。日の本の医術が大きく歩を踏み出す、そのきっかけにもなるとわたしは信じて……」

「わ、わかっている。よく、わかっているとも。落ち着け、十斗、落ち着け。どうどう」

松庵が十斗の背中を軽く叩く。馬を宥めている馬方みたいだ。おいちは、また吹き出しそうになった。いや、実際、我慢できなくて笑ってしまった。

兄さんって、おもしろい。

どちらかというと、生真面目で落ち着いていて、どんなときも慌てふためかない。そんな感を抱いていたけれど、ことメスに関しては、全てがひっくり返るようだ。松庵に落ち着けと諭されている兄は別人のようで、おもしろい。

「だいたい人を殺すのにメスを使うなんて、頭がどうかしちまった狂れ者じゃないか。そういうやつは、幾らお江戸でもそうそういやしないさ。ただ、常人に紛れて常人のごとく生きているとしたら、見つけるのは難しかろうな」

「先生もそう思われやすか」

仙五朗がちらりと松庵を見やる。

「頭のいかれた野郎が、どういう経緯でか手に入れたメスで、人を殺して回っている。楽しみながら殺しを重ねている。お奉行所はそう考えているようなんでやすが」

「それは、おかしいです」

おいちは腰を浮かせた。

「理屈が合いません。さっき言った通り、殺された二人には似通った点が多くあります。それって、たまたまで済ませられないでしょう？　そんな殺人鬼みたいな下手人なら、殺す相手は選ばないんじゃないですか。いえ、むしろ、力の弱い女を餌食にする気がします」

正助も平五郎も一人前の男だ。どういう身体付をしていたかはわからないが、それなりに力は強かったのではないか。まして平五郎は瓦葺きの職人だ。屈強に近い身体をしていてもおかしくない。

「へえ、その通りでやす。正助も平五郎も並より上の身体をしてやしたよ」

おいちの胸中の声を聞いたかのような仙五朗の返事だった。

「あっしも納得できやせんでね、草野の旦那にはそう申し上げておきやした。けど、どうもね……。そうなると、下手人の姿がさっぱり見えなくなる。それをお奉行所は厭うているようなんでやす」

「そんな。それじゃお奉行所の都合で下手人の有り様が変わってくるじゃないですか。そんなの、おかしかありませんか。捕まえられる者も捕まえられなくなっちゃいます」

仙五朗が首を竦めた。ちょっとおどけた仕草だ。

「おいちさんの仰る通りで。捕まえる側の都合で下手人を決めてちゃ、どうにもなりゃしやせんよ。だから、あっしはあっしで好きに動こうと考えてやす。草野の旦那は知らぬ振りをしてくれるそうで、思うようにしろと言われやした」

仙五朗の主、定町廻り同心の草野小次郎は、この優れ者の手先をずい分と頼みにしている。「おれのぼんくら頭と違って、〝剃刀の仙〟の切れ味は鋭いからな。言う通りにしとけば、まずは間違いなかろうよ」なんて笑っていたと耳にした覚えがある。

人は善いのだろうが、ちょっと頼りない。

「ただ、正助と平五郎は確かに似ているところもありやすが、二人が知り合いだったとか、どこかで関わり合っていたとか、そういう証は今のところは全く出てきやせん」

「正助が殺された夜、平五郎はどうしていたんだ？　親分のことだから、調べ上げちゃあいるんだろ。抜かりはないよな」

　松庵がにやりと笑う。仙五朗も笑みを返した。

「へえ、調べやした。あの日は天気が天気だったんで、瓦葺きの仕事もなく、早めに五徳長屋に帰ってやした。で、半日近く大家の家の棚を直していたようなんで。平五郎は手先が器用で、包丁研ぎから、ちょっとした大工仕事まで頼まれたら気楽に引き受けてたようでやすよ。それで、ろくに礼金も受け取らなくて、長屋のおかみさん連中は〝仏の平さん〟なんて呼んでたってこってす。大家も平五郎が殺されたと聞いて仰天してやしたね。棚を直してくれたお礼にお伊奈や子どもも呼んで、夕餉をご馳走したら、平五郎はたいそう喜んで『棚でも雨漏りでも、いつでも直しやす』と約束してくれたんだと、本当に仏さまみたいな優しい顔だったと泣きながら言ってやした」

「ふーん、〝仏の平さん〟ねえ。大家と食事をしていたのなら、六間堀の殺しには関わりねえよなあ」

「ありやせんね。少なくとも平五郎は正助を殺っちゃあいねえ」

「それに、平五郎さんは誰かと会うはずだったんですよね。正助さんは既に亡くなっているのだし、もう一人、男が……いえ、女かもしれませんが、あたしたちの知らない誰かがいるってことですよね」

「男でやしょう」

仙五朗が低く、しかし、きっぱりと告げた。

「喉の傷の具合からして、下から突き刺されたものじゃねえ。ほぼ真横に裂かれてやしたからね。あれは、正助や平五郎とほぼ同じ背丈のやつの仕業です。二人とも五尺ちょいは背丈があった。下手人が女だとしたら、目立つほどの大女になりやす」

それまで黙っていた十斗が僅かに前に出てくる。メスの箱をまだ抱えていた。

「その二人は身体付もよく似ていたのですか」

「いや、そっくりってわけじゃありやせん。平五郎の方が肩幅とかは広い感じがしやしたね。ただ身の丈は、同じぐれえでやしたよ。顔立ちは似ても似つかねえもんでやしたが。もっとも、あっしが見たのは仏さんになってからでやすからね。生きていたときの見場とは、また少し違うでしょうが」

そうだ。生きている者と死者は相貌が異なってくる。肌の色が違い、頬から顎にかけての強張りが違い、硬く閉じた瞼が違い、表情が失せていることが違う。

僅かな、しかし、大きな違い。どれほど祈っても、どれほどの金を積んでも、どれほどの権勢を誇っても、取り戻せない違いだ。

かちっ。おいちの頭の中で微かな火花が散った。息を呑んだけれど、火花は確かめる間もなく消えてしまった。

「ともかく、もう少し、二人の周りを嗅ぎ回ってみやす。お奉行所は殺人鬼の仕業と決めつけて、次の犠牲者を出さないよう躍起になってやすが、そうなるとメス以外の手掛かりは何一つなくなる。下手人を捜し出すのは至難でやすよ。この先、次々に殺しが起きて犠牲者が増えていくとなると、その線も疑いやすが、今のところ、あっしには悪手としか思えねえ」

「つまり、親分は二つの殺しは繋がっている、下手人は見境なく人を襲っているわけじゃなくて、何らかの理由があって殺ったと睨んでいるわけだ。いや、人を殺していい理由なんて、この世には一つもないんだがな」

「ええ、先生の仰る通りで。けど、下手人がどんなやつであっても、今、あっしたちが握っている手掛かりはメスを使っての殺しという、その一点しかねえ。そこは変わりやせん」

火花がまた散った。前のものとは違う。今度は消えなかった。

「だからでしょうか」

呟く。仙五朗がおいちを真正面から見据えた。

「だから、人を殺すのにメスを使ったのでしょうか」

「それは……どういうことだ」

十斗は身体を傾けて、おいちの顔を覗き込んできた。

「さっきから再三、話に出ているように、人を殺める道具としてメスは考え難いものです。慣れていないと使い難い道具でもあります。でも、それはかえって目を引く、気を引くってことになりませんか。誰もがそこに心を向けてしまう」

「心を向ける……」

十斗が身体を戻し、小さく唸る。

「おいちの言ってること、おれには、よくわからんが……」

「おれも、わからん。メスに目を付けるってのは当たり前だろう。殺しに使われたんだから」

とたん、十斗の表情が険しくなる。

「松庵先生、そういう言い方は」

「あ、わかってる。わかっているとも。むろん、使ったやつが悪いんだ。メスには何の非もない。罪もない。な、親分」

「先生、どんな道具にも非も罪もありやせんよ。道具は道具だ。それを手にして、どう使うかは人次第でやす。鎌だって鉈だって、便利な道具じゃねえですか。けど、それを殺しの手立てにしちまうやつがいる。人ってのはつくづく罪深え生き物でやすよ。けどね、それはそれとして、おいちさん」

「はい」

「確かに、あっしを含めて誰もがメスって珍しい道具に目を奪われておりやした。他に何の手掛かりもねえもんで、余計に引き付けられたのかもしれやせん。お奉行所も今は、メスを手掛かりとして関わり合いがありそうな所を探索していやす」

「はい。それが間違っていると、あたしに言い切れるはずがありません。でも、探索の全てをそちらに向けてしまえば……」

「そこから外れたところが見えなくなる。そういうこってすか」

「はい」

「確かに一理ありやすね。例えば、この中で言えば松庵先生、田澄先生、おいちさんを怪しんでも、あっしには目もくれねえ。そういう探索になってるかもしれやせん。うーん、下手人はそこまで考えて、メスを使ったんでやすかねえ」

「わかりません。けど、人を殺すなら匕首の方が使い勝手はいいと思います。わざわざ、使い勝手の悪い道具を選ぶ意味がわからないんです」

おいち、女の身でそんな物騒な台詞、口にするんじゃないよ。

おうたがいたら、間違いなく怒鳴られる。

伯母さんがいなくて、よかった。

「しかしなあ」

と、十斗が首をひねった。

「おいちは使い勝手が悪いと言ったが、確かにその通りだ。メスを自在に操って、喉を切り裂くなんて真似、素人にはできない……とまではいかないが、難しいのは確かだな」

「え、じゃあ、兄さんは下手人はやはりメスに関わり合いのある者だと思うの」

「いや、そんなことは思っていない。関わってくれるなと、本心から祈ってる。しかし、メスなんて触るどころか見たこともないって者が大半だろう。ある程度、慣れてないとなあ」

「田澄先生」

仙五朗が身を乗り出す。

「それ、メスじゃねえといけやせんかね」

「は？　どういう意味ですか」

十斗が問い返す。おいちにも、仙五朗の言葉が呑み込めなかった。

「いや、そうでやすねえ……」

仙五朗はもごもご呟き、腕組みをすると天井を仰いだ。そこに何があるわけでもない。仙五朗が見ているのは天井ではなく、自分の頭の中だ。

ややあって、仙五朗の唇から囁きが漏れた。「風鈴」と聞こえた。

風鈴？　正助が持っていた風鈴のことだろうか。

それが何か事件に関わっている？

メスに風鈴。流れの飾り職人と瓦葺きの職人。

おいちは頭を振った。何もかもがばらばらだ。結び付きも引っ付きもしない。思案だけが空回りする。こんなときは、考え込んでも無駄だと心得ている。

「父さん、お茶でも淹れましょうか」

「そうだな。ちょっと渋めの茶が飲みたいな」

事件とは無縁の何気ないやりとりを続ける。

「瓜のお漬物があったよね。あれ、茶うけにするね」

「おお、頼む」

「漬物はわたしが用意しよう。おいちは茶の方を頼む」

「あら、兄さん、ずい分と腰が軽くなったのね」

「馬鹿を言うな。昔から料理も洗濯も得意なんだ。ずっと独り身のおかげかな。まあ自慢できることじゃないけどな」

ねえ、兄さん、そろそろ身を固める気はあるの？

美代の姿がふっと浮かんで、そんな問いが零れそうになる。

それをぐっと呑み下したとき、仙五朗が息を吐き出した。

「さすがだ」

「え？　何がさすがなんですか？」

「みなさんがでやすよ。こうしてしゃべっているだけで、いろいろと気付かせてもらえやす。この先の動き方が、ほんの少しでやすが見えてきやしたよ」

おいちと松庵と十斗は、それぞれに顔を見合せ、同時に首を傾げた。

仙五朗が見えてきたというものが、見えない。ほんの一端でさえ摑めない。

「その気付きとやら、ちょこっとでも教えてもらえないかい」

松庵の物言いが、飴玉をせがむ子どもに似てくる。

そのとき、障子戸が開いて、おもとが顔を覗かせた。

「松庵先生、すみません。まだ少し腰の周りが痛くて、診てもらえませんかね」

「ああ、わかった。ちょっと待っててくれ。用意ができたら呼ぶから」

おもとは腰の周りに帯状に小さな水疱ができている。この前より顔色はいいようだが、痛みはまだ治まらないのだろう。

「おいちさん、忙しくなりやすね。その前に、わざわざ、あっしを訪ねてくださった話を聞かせてもらえやすか」

「あっ、そうなんですが……」

少しばかり言葉が閊えた。

二人の男が殺された。現に起こった血腥い事件について、あれこれ話した後では、束の間見ただけの幻を語っていいのかどうか逡巡してしまうのだ。

「おいち、ぐだぐだ迷っている暇はないぞ。患者が来てるんだ。早く白状しちまえ」

「父さん、あたしを咎人みたいに言わないで。そうよ、患者さんがきてるんだから、さっさと診療の用意をすればいいでしょ」

「そうはいくか。大事な娘の一大事だ。聞かないわけにはいかない」

「わたしもだ。大事な妹の一大事に知らぬ振りはできないからな」

松庵と十斗がぐいぐい寄ってくる。仙五朗は真面目な顔で、おいちに頭を下げた。

「おいちさん、おいちさんがわざわざ相生町まで来てくださったんだ。どんな話でも聞かせてもらいやすぜ。いや、ぜひ、聞かせてくだせえ」

「親分さん……ありがとうございます」

躊躇いが拭われる。

おいちは石渡塾で見た和江の姿について、やや早口で語った。

「実際には、和江さんが血に塗れているわけじゃありませんでした。どこにも傷などなかったのです。でも、確かに……確かに、血だらけになっていて……」

「血だらけになるのは傷を負ったときだけじゃありやせん」

「え？」

「返り血を浴びても、血を噴き出した誰かの近くにいても血に汚れはしやすよ」

「……はい。あの、あたしもそう感じました。和江さんは血飛沫を浴びているって。でも、親分さん、それってどういうことになるんでしょうか」

仙五朗がかぶりを振る。

「わかりやせん。ただ、その娘さんが心配なのは確かでやすね。どういう理由があろうと血に塗れるなんて物騒でやすよ。ええ、物騒過ぎまさぁ」

思わず、両手の指を握り締めていた。

「ただの幻であったなら、いいのですが……」

「連れてきちゃあどうだ」

松庵が言った。軽い口調だった。

「和江って塾生、ここに連れてくるといい」

「え、でも、父さん、和江さんは医学を学び始めたばかりよ。実際の診療の場なんて知らないはず。連れて来たら、邪魔にしかならないでしょ」

素人同然なのだ。松庵の診療の妨げになる恐れは十分にある。

「そうか？　かの名高い加納堂安先生の娘御なんだろう。診療の場には慣れているんじゃないか」

「加納先生は漢方医でしょ。しかも、お大尽相手の。うちみたいに、怪我も病もかぶれも癇の虫も何でも診ます、薬礼は後回しでいいですってお医者じゃないのよ。見たことないけど、すごいお屋敷に住んでて、高直な生薬とかがいっぱいあるのよ、きっと。お付きの人だってたくさんいるだろうし、蒔絵とか施された、とっても贅沢な駕籠に乗ってお大尽の屋敷に出向いて診るのが当たり前で、患者が自らやって来るなんてないんじゃないの。うちとは、何もかもが違うんだわ。薬礼だって一度の診療で切餅一つ分（二十五両）ううん、二つ分も三つ分ももらえるのよ。ちっとも羨ましくない……ことはなくて、羨ましいなあ」

「おまえ知らないわりには、見てきたようにしゃべるな。だんだん、義姉さんに似てきたような……うわっ、そんな恐ろしいことは考えたくもない。寒気がしてきた。いや、まあ、なるほどな。納得した。そういうところで育って、本気で医者を目指そうと決め、お大尽付きじゃなく、町医者の治療の場を見たいと願う。しごくまっとうな思案じゃないのか。うん、おれは、いいぞ。ここで、現がどんなものか確かめてみればいい」

「ほんとに？　ほんとに、いいの、父さん」

「ああ、構わないぞ。いつでも来ればいいさ」

「でも、でもね、あたし……患者さんを学びの道具にしないでって和江さんに言ったの。道具じゃなくて生身の人として見てもらいたかったから……」

そうだなと松庵は頷いた。

「その通りだ。けどな、おいち、おまえがそう言えるのは、ここで生身の人である患者と接してきたからじゃないのか。書物や講義の中の病人じゃなく、痛みや熱や咳や息苦しさに喘いでいる患者を見てきたからだろう。おまえの後輩はまだそれを知らない。それだけの違いだ。だったら、先輩として知る機会を用意してやればいいじゃないか。ただし、邪魔になるようなら、遠慮なく外に放り出す。それくらいの覚悟をして来いと伝えといてくれ」

「ええ、ええ、必ず伝えます。父さん、ありがとう」

「礼なんていらないさ。石渡塾の塾生だ。義姉さんにくらべれば何程の邪魔にもならないだろうさ。熊に居座られると困るが猫や兎ならどうにでもなる。摘まみ出すことだってできるからな。義姉さんにそんなことをしたら、頭から齧られちまう、ははは」

束の間だが、おいちは事件も血に染まった幻も忘れた。

明日、早速、和江に伝えよう。

驚くだろうか。喜ぶだろうか。表情を変えぬまま頷くだろうか。それとも、ほんのちょっぴりでも笑うだろうか。

　どうか藍野松庵の許で見たこと、聞いたこと、感じたことが和江さんの力になりますように。諦めない力に、抗う力に、前に進む力になりますように。

　おいちは心の内で祈った。

「じゃあ、あっしはこれで。お邪魔しやした」

　仙五朗が立ち上がり、一礼をする。薄い腰高障子を通して、外で待つ患者たちの気配が流れ込んできていた。

「親分さん、お茶も出さないですみません」

「おいちさん、これからできる限り菖蒲長屋に顔を出させてもらいやす。この一件、お奉行所とは違うやり方で攻めてみるつもりでやす。お力を貸してくだせえ」

「はい。あたしにできることなら何でもします」

「いや、でも、これまでみてえに走ったり、飛んだり跳ねたり、立回りを演じたりは無しですぜ。金輪際、無しにしやしょう。あっしは、おいちさんの話を聞きてえし、みなさんに話を聞いてもらいてえんで。そうすることで、謎を解いていく道筋がはっきりしてきたこと、何度もありやしたからね。迷惑はかけやせんから、助力をお願えしやすよ」

　おいちは仙五朗を睨み、頬を膨らませた。

「あたし、立回りを演じたことなんて一度もありません。それに、自分が身重だってわかってます。飛んだり跳ねたり走ったりなんて、するわけないでしょ。ほんとに、親分さんまで、失礼しちゃうわ」

「それを聞いて、安堵しやした。じゃあ、また、近いうちに伺いやす。そのときは、あっしなりに獲物をくわえて来れるよう一がんばりしやすよ」

足音もさせず、仙五朗は外に出て行った。代わりのように、患者たちが入ってくる。

仙五朗が何に気付き、どう動こうとしているのか。聞きそびれたと思い至ったのは、患者が途切れた夕刻だった。

次の日も蒸し暑かった。

拭いても拭いても噴き出してくる汗は拭くしかなくて、手拭いが手放せない。それでも、『石渡塾』に向かうおいちの足取りは軽かった。

一刻でも早く、和江に松庵の言葉を伝えたい。この前、おいちは和江の願いを、松庵の許で患者たちの様子を見たいという願いをはねつけた。それが間違っていたとは思わない。でも少し、杓子定規ではあったかもしれないと省みる。

和江が邪魔になると端から決め込んでいた。和江が不用意に手を出したり、口を出したりすれば邪魔になるかもしれない。でも、おとなしく部屋の隅から様子を見ているだけなら、大丈夫だ。一方、和江にとっては大きな学びになるのではないか。

患者は人なんだと、心を持つ人なんだと理屈でなくわかってくれれば、学びの質も変わってくる。学んで学んで、人のための医者になれる。

他人事じゃないわ。あたしもがんばらなくちゃ。

あっ。思わずお腹を押さえる。

動いた。確かに、動いた。くいっと内側から突き上げるような動きだった。

「え、もしかして、今、お腹を蹴った？」

尋ねてみる。耳を凝らし返事を待ったが、何も聞こえなかった。

「そっかぁ。おっかさんのこと励ましてくれてるのか。ありがとうね」

いい子だ。何て、いい子なんだろう。

「あんた、おとっつぁんみたいに真っ直ぐな気性なのね。真っ直ぐで優しいんだね」

温かな、幸せな気持ちに満たされる。未来は眩しくて、いいことばかりが待っているような気さえする。血だらけの和江の幻を、おいちは無理やり頭の隅に押しやっていた。

いいことばかり、いいことばかり、剣呑なことなんて何も起こらない。

自分に言い聞かせて、八名川町の木戸をくぐった。『香西屋』はもう目の前だ。大店ではないけれど、手堅い商いを続け、「香西屋の品なら間違いない」と言われている。つまり店の基は盤石なのだ。おうたのお内儀としての評判も上々だった。「義姉ってことならどうにも厄介だが、商家のお内儀なら申し分ないのかもしれんな」と、松庵が認めているほどだ。

おうたもおうたの夫、藤兵衛も離れを『石渡塾』に快く貸してくれている。

ありがたいこと。あたし、なんだかんだ言っても周りに恵まれているんだわ。

浮き立つ気持ちのまま、路地に入ろうとした。路地を抜け裏手に回れば、そこが『石渡塾』の入り口になる。

どんと音がした。「うわっ」と男の叫び声が響いた。

おいちは足を引っ込め、表通りに顔を向ける。

商人風の男が一人、地面に倒れていた。その横にもう一人、着流し姿の男が転がる。土埃が派手に上がった。

「ふざけんじゃないよ。いいかげんにおし」

男たちを追いかけるように、おうたの一喝が轟く。

おいちは目を見張り、土埃の中の男たちを見詰めていた。

〈つづく〉

世界はきみが思うより

第七回　恋とレモネード、その他（前編）

寺地はるな
Terachi Haruna

五百円玉を握った水田（みずた）さんの右手がテーブルの上をすっと横切った。

よく見ててね、と水田さんが言うので、わたしは身を乗り出す。

「さん、に、いち」

ぱっと開いた手のひらから五百円玉がなくなっていた。

「え、どこいったの」

水田さんが左手を開いてみせてくれたが、そちらも空っぽだった。

「桂（けい）さん、上着のポケットを見て」

わたしは着ていたジャケットのポケットに手を入れた。五百円玉をつまみあげ、ぼうぜんと「どうやったん？」と訊ねる。水田さんが得意げにふふっと笑った。

「でも、できるのはこれだけ」

会社に入った頃、なにか一発芸を覚えろと言われて覚えた手品だそうだ。種は教えてくれない。

「でも、一発芸なんかいつやるの」

水田さんはビールをひとくち飲んでから「忘年会とか」と肩をすくめる。

「歌ったり踊ったりするやつもいる。おれは手品を覚えることにした」

「わたしは、とてもじゃないけどそういう会社は無理」

「おれもずっと嫌なのがまんしてやってた。後輩も嫌がってるってわかったから、去年会社にかけあって、それで廃止になった」

嫌だけどがまんしてしまうところも、でも後輩のためになら行動を起こすところも、すごく水田さんらしい。

頼んだ料理が運ばれてきたので、わたしは五百円玉を水田さんに返す。

「メキシコ料理っておれ、はじめてだよ」

「うん、たぶんわたしもそう」

はじめて会った日にはわたしがベトナム料理の店を指定した。そのせいだろうか、水田さんは次の約束をする時に「次はタイ、どうですか」と誘ってくれた。エスニックフードが好きなのだと思われていたのかもしれない。もちろん嫌いではないけれども。

店内は薄暗い。メキシカンハットやマラカス、サボテンが飾られ、壁は落書きだらけだ。それもさまざまな言語で書かれていて、眺めているとほんとうに外国にきたような気分になる。壁にたてかけてあるギターは誰が弾くのかと店員さんに訊ねたら、あれはギターではなくギタロンという楽器なんです、と教えてくれた。ギターよりも低い音が鳴るらしい。週末の夜にはライブがあると聞いて、水田さんが「また来ようね」と言った。

「おいしそうだな」

「ほんまに。めっちゃいい匂い」

いつのまにか会話から敬語が消えた。そのことがうれしい。水田さんの言葉づかいも好きだ。大阪の言葉よりサラリとしていて、清潔な布みたい。

おいしそうだけど、これなんだろうね、と皿に盛られた料理を興味深そうに眺めている。よくわからなかったので、ふたりとも店員さんにおすすめされた同じセットを頼んだのだ。さまざまな料理がひとつの丸皿に盛られている。

「その右上のは、ケサディージャ、っていうみたい」

メニューと首っ引きで説明した。フラワートルティーヤにチーズやチリをはさんで焼いたもので、すこし辛い。フラワートルティーヤというのは、小麦の生地を薄く丸くのばして焼いたもの。わたしの説明をすべて聞き終える前に、水田さんは大きく口を開けて食べてしまった。おいしい、と言ってから、ぱっと笑顔になる。水田さんの「おいしい」は「うれしい」とセットになっているようだ。おいしければおいしいほど、よく笑う。

わたしは左端のエンチラーダスから食べてみることにした。メニューには「トウモロコシのトルティーヤに野菜や肉の具をつめて、唐辛子のソースをかけたもの」と書かれている。辛いけど、トルティーヤがほんのり甘くて、すごくおいしい。皿の真ん中にあるお菓子みたいなものはタキートと言って、トルティーヤで具を巻いて油で揚げたものらしかった。かりかりした食感だった。

「どれもこれもぜんぶトルティーヤなんだね」

「わたしたちがお米をいろんなふうにアレンジして食べるのと同じなんかも。ほら、おにぎりにしたり雑炊にしたり丼ものにしたりするやん」

「あ、焼き飯とかもあるね」

水田さんはなるほどなあ、と頷(うなず)いて、こんどはタコスにとりかかった。自分で具を巻いて食べるらしい。皿の上にはタコス用のトルティーヤはひとりにつき三枚用意されたが、ひとつ食べたところでもうお腹いっぱいになってきた。

「ちょっと、多かったかも」

まだ半分以上料理が残っている皿を押しやる。

「桂さん、無理しなくていいからね。このあいだも、ちょっと無理して食べてたでしょ」

たしかに、あとでお腹が痛くなった。水田さんには悟られないようにとがんばっていたのだが、すべてばれていた。

「味は、おいしかったから」

「まあね」

「このタコスもおいしい」

そうだね、と相槌を打ってから、水田さんが笑い出した。

「なんかおれたち、食べてばっかりだね」

「水田さんが食事にばっかり誘うからやろ」

「今度は、どこかに遊びにいこうか」

「うん。ええよ」

ひととおり大阪の観光スポットを挙げていると、水田さんが「あ」と顔を上げた。

「あの遊園地は？　ほら。よくＣＭやってる」

マジカマジカのマジカルランドってやつ、とややぎこちなく歌ってみせる。ほたるいしマジカルランドなら、もちろん知っている。大昔、小学生の頃に子ども会のイベントで一度行ったきりだけど。

「ええ歳した大人ふたりで行っても、楽しめるんかな、あそこ」

「でも、夕方からはイルミネーションやってるって。イルミネーションは大人も楽しいよ」

水田さんはスマートフォンを手にしている。公式サイトを開いて見せてくれた。

「わかった。じゃあ、行ってみよ」

話していたら、すこしだけ胃が落ちついてきた。あともうすこしだけ食べてみる、と皿を引き戻す。水田さんはにっこり笑っただけで、なんにも言わなかった。

それだけ？　もっと食べなあかんで。ダイエットなんかする必要ないって。じゅうぶん痩せてるやんか。わたしと食事をする多くの人が、そんなことを言う。とくに、男の人は。男はぽっちゃりしてるぐらいの女の子のほうが好きなんやで、とか、そういうことも言う。男に好かれるために痩せたいわけじゃないのに。その的外れさに、ほとんど吐き気がする。

「もったいない」のパターンもある。ダイエットとは関係なく、そもそもわたしはあまり一度にたくさんは食べられないのだ。「残すなんてもったいない」と言われるたび、ひどいことをしているような気分になるし、だったら外食なんかしないで、家で自分ひとりが食べきることのできる食べものだけ摂取するほうがマシだ、と思ってしまう。もったいない、もっと食べなよ、と言われるたび、喉が狭まる。飲みこむのも、嚙むのも、どんどん億劫になっていく。味わう余裕なんかまったくない。でも、水田さんはなにも言わない。無理しないで、と気遣ってくれる。ああだからか、と思う。だから、水田さんと食べるごはんはおいしいのか。

「桂さんは、量はすくなくてもおいしそうに食べるよね」

わたしの考えていることがわかったみたいに、水田さんが微笑んだ。

「そんなこと、はじめて言われた」

そうなの？　と水田さんが目を丸くする。

「みんな、よく見てないんだよ。桂さんの良いとこを」

皿の上にフォークを置いた時、やけに澄んだ音がして、思わず「あ」と呟いた。その音はわたしの中で、とても大きく鳴り響き、いつまでもこだましていた。鼓動がはやくなる。

たった今、わたしは水田さんを本気で好きになった。

ほたるいしマジカルランドに行く日は、二週間後に決まった。昼休みに会社のパソコンで公式サイトを見ていると、元木さんが横から画面を覗きこんできた。

「行くの？」

　園内お花いっぱい咲いててきれいよ、と教えてくれる。人気アニメのコラボイベントが開催されていて、元木さんはそのイベントを目当てに先週行ってきたばかりなのだそうだ。

「そのアニメ、好きなん？」

　元木さんは「うん。うん、あのね」と目を輝かせ、きゅうにはっとしたような顔になって、「まあね」と小さく咳払いする。

「え、なに？」

　元木さんは曖昧に笑いながら、自分の席につく。

「いや、なんか思いのままに喋ったら桂ちゃんに引かれそうで」

「引かへんよ」

　元木さんがわたしに、検分するような視線を向けてきた。もしかしたらこれまでに何度も自分の趣味のことで、周囲の人に気分の悪くなるようなことを言われてきたのかもしれない。無理に話せとは言わへんけどな、と言いながら立ち上がると、元木さんは「待って待って待って」と必死にすがりついてきた。

「ごめんなさい。話したいです」

「はい、聞きましょう」

わたしは笑って、椅子に座り直した。

それから昼休み終了の時刻までずっとそのアニメ（というより原作の漫画）がどれほど元木さんに活力を与えてくれているか、という話を聞いた。固有名詞が多すぎてたぶん半分も理解できなかったけど、すごく好きなものがある人はいいな、と思った。ただひたすらに見返りを求めずに愛を注ぐ、という行為が、わたしには難しい。

その気持ちを本人に伝えると、元木さんは首を横に振った。

「でも、たまにふっと我に返る時があるんだよね。わたしは推しだとかなんとか言いながら、ひたすら消費してるだけなんじゃないかな、って」

元木さんは「あと、『好き』ってもしかしたらすごく乱暴な感情なのかもしれないとかって、そういうこともよく思う」と言い残して、日本語教室の準備に行ってしまった。「好き」は乱暴。その言葉は、彼女がいなくなってからもしばらく、わたしの周囲に漂っていた。

「好き」は乱暴。そんなこと、考えたこともなかった。

元木さんはわたしに、誰とほたるいしマジカルランドに行くのかと訊かなかった。ほっとしたような、ちょっとぐらいは話を聞いてほしかったような、どっちつかずの気分だ。

自分への罰のような気分ではじめたマッチングアプリで、わたしは水田さんに出会った。水田さんはずっと、友人のお母さんと他人に言えないような関係を続けていたらしい。でもそういうのはよくないと、大阪への転勤をきっかけに彼女に別れを告げた。同世代の女性と「ちゃんと」つきあいたくてマッチングアプリをはじめた。何人かの女性と会ってみたが、二度以上会った相手はいない。わたし以外には。

わたしはもともと男の人が苦手だった。とくに男の人の身体的な特徴が。皮膚の固さや骨格や喉仏が嫌いだった。性器の形状に至っては、滑稽だとすら感じていた。でも今は、相手が水田さんならだいじょうぶなんじゃないかという気がしている。なぜってわたしは水田さんの人柄を、水田さんと過ごす時間を、とても愛おしく思いはじめている。

こんなふうにゆっくり、おだやかにはじまる恋愛だって、きっとある。

とはいえ、これはわたしが勝手に思っているだけのことであって、水田さんに「ありですよね」と確認したわけではない。

最初の頃に、お互いに「恋愛感情とは違う」と確認しあったわけだが、もうあれからすでに四か月以上経っている。水田さんにはわたしと同じような気持ちの変化はないのだろうか、と思いながら、待ち合わせ場所に向かった。

水田さんもわたしも車を持っていない。すこしはやめに着くように出てきたつもりだったけど、水田さんはすでにそこにいた。

改札の近くの壁にもたれかかって本を読んでいたが、わたしに気づいて笑顔で手を振る。だからなんの本を読んでいたのかはわからなかった。

電車の中はこれから行楽に向かうらしき年配の女性のグループや親子連れの姿が目立つ。ふたり並んで吊革につかまる。水田さんは余裕だが、わたしはやや背伸びをしなければならない。目の前をどんどん流れていく見慣れない景色に目を奪われていると、水田さんが「あのさ」と小声で言った。

「お弁当をつくってきたんだよね、今日」

お弁当、と繰り返すわたしの声はあまりに間が抜けていて、恥ずかしかった。そう言えば、やけに大きな鞄を持っているなあとは思っていたのだ。

「おれの会社の先輩……吉良さんっていうんだけど」

「吉良さん」は数年前に妻を亡くし、それ以来小学生の娘に毎日お弁当をつくってもらっていたのだそうだ。でも最近は自分でつくるようになった、と見せてくれたお弁当がとてもおいしそうだった。

「訊いたら、『おかずシェアの会』っていうのに入ってるって教えてくれて」

近所の人と週に一度お弁当用のおかずを持ち寄る会なのだそうだ。持ち寄ってわけあうことで、数種類のおかずが手に入る。

「ふうん。それ、いいね」

「だよね」

水田さんは食べることが好きで、外食だけでなく家庭料理にもものすごく興味があるのだという。

「だから人の弁当にもすごく興味あるんだけど、あんまりじろじろ見るのも失礼じゃない」

「うん。じろじろ見られるのは、たしかに嫌」

「でもその会って、いろんな人の料理を堂々と見られて、しかも食べられるんだよ。おれも入りたいな、と思って」

水田さんの勤め先は食品卸売り(おろしう)りの会社だ。一般家庭でどういう食品が好まれ、どのように調理されているかは仕事のヒントにもなるという。悩んだ末、吉良さんに頼んで会に入れてもらい、昨日はじめて参加した。

会、と言ってもメンバーはその吉良さんと、吉良さんの近所に住む女性ふたりだけだ。どの家にも小学生、中高生の子どもがいる。

女性ふたりはとても気さくで、水田さんを歓迎してくれた。その会で「それにしても毎日のお弁当はめんどうだけど行楽に持っていくお弁当はまた違うわくわく感があるよね、外で食べるおにぎりやサンドイッチってなんであんなにおいしいんだろうね、子どもたちもいつもよく食べるよね」というような話になり、水田さんはほたるいしマジカルランドにお弁当を持っていくことを思いついたという。

「でも、事前に桂さんに確認するべきだったな、と思って。ついひとりで盛り上がって張りきっちゃったけど」

「ええよ。うれしい」

「ほんとに？」

「楽しみ」

　そんな話をしているあいだに、電車は『蛍石公園前』に到着した。子どもの頃の記憶そのままのメリーゴーラウンドに「わ！　なつかしい」と声が漏れる。

「乗る？　これ」

　水田さんがきらびやかなメリーゴーラウンドを指さす。

「いや、ちょっと恥ずかしいかな」

「じゃあ、まずはジェットコースターに乗らない？」

「うん。あ、これも楽しそう。この、急流すべりみたいなの」

　ふたりで案内図を見ながら、まわる順番を相談し合った。遊園地なんて、と最初は思ったけど、いざ来てみたらすごく楽しい。ジェットコースターはそんなにこわくなかったけど、ふだん大きな声を出す機会なんてめったにないから、みんなの悲嗚に乗じて「わー」とか「あー」とか叫んでみたら、ものすごくすっきりした。なんだかんだ言いながら、メリーゴーラウンドにも乗った。水田さんは白馬にまたがってもすこしも王子様感がなくて、でもそこがかわいかった。

ミニ動物園ではモルモットやプレーリードッグを見た。水田さんがあまりに熱心に観察しているので、動物が好きなんだな、と知る。若い女の子たちがきゃあきゃあ言いながら脇を通り過ぎていく。トートバッグに缶バッジとかぬいぐるみみたいなものがたくさんくっついていた。あの子たちも元木さんが言っていたアニメのファンなのだろう。

「水田さんには『推し』っている？」

「いないね」

即答だった。映画を観ればすてきだなあと思う俳優はいて、動物やなにかのキャラクターを見てかわいいなあと思うこともある、という。

「でもそれだけだ。熱烈な『好き』はないけど、小さい『好き』をいっぱい持ってて、それはそれで幸せなことだとおれは思ってるよ」

わたしはどう？　小さくでも「好き」？　と訊ねたいけど、水田さんが「あ、もう一時過ぎた。そろそろ食べようか」とそわそわと腕時計を覗きこんだので、黙って頷いた。

〈つづく〉

桜風堂夢ものがたり2 第八回

第一話

秋の旅人（後編）

村山早紀
Murayama Saki

台風襲来のその日は金曜日だった。

次の日の土曜日の朝、透は早い時間に起きて、外に新聞を取りに行った。山の空気は冷えていて、透は思わず、さむ、と呟きながら、身を震わせた。パジャマの上にジャケットを羽織っただけだったので、腕の辺りがきゅっと冷える。新聞受けの中の新聞も、ひんやりとしていた。

台風の名残なのか、秋の朝にしては湿気の多い風が吹きすぎてゆく。雲ひとつない青空を吹き抜ける風は、緑と土の匂いを立ちこめさせていた。

「——今日、土曜日で良かったな」

なんだか夕べは寝付かれず、短い夢を見ては起きるの繰り返しで、寝た気がしなかった。

疲れがとれていないし、頭はぼんやりとして、はっきり目が覚めきっていない。この状態ではるばる下の街の学校に行って勉強をするなんて想像するだけで面倒だし、気乗りがしない。ほんとうに土曜日で良かった。

透はほわほわとあくびをした。だめだ。今日は脳が働く気がしない。英語の小テストの日が近いけど、のんびり家事をしたり、店の手伝いをする日にしよう。

鈴の音がしたと思ったら、三毛猫のアリスが庭の草の中を駆けてきて、透の足にご機嫌そうな顔をこすりつけた。

「おはよう、アリス」

離れの月原一整（つきはらいっせい）の部屋に遊びに行っていたのだろう。一整はこの家でいちばん早起きだから。夜明けとともに起きて、カフェスペースまわりのあれこれを済ませたりする。夜に寝るのはいちばん遅く、いつも店の仕事でネットまわりのことは、離れの自室に帰ってから済ませていることを透は知っている。本の発注やら版元とのやりとりやら、店に飾るものを用意したり、ペーパーの原稿を書いたりと、たとえばそういうことだ。

一整にはそれと意識しないうちに、何もかもひとりで済ませようとする傾向があるので、店のおとなたちが——透の祖父や、喫茶店経営の経験者でもある藤森が、良い感じに仕事に口を差し挟み、なかばもぎ取るようにして、一整の負担を減らすようにしていた。それにしても、店長である一整には、することが多いようだった。

「土日で家にいられるときくらい、ぼくも、月原さんの手伝いができるようにしなきゃ」

いまも週末は、店で出すためのお菓子作りをしたりしているけれど、もっと力になれたら、といつも思っている。カフェスペースの手伝いをもっとまめに——。

「——といっても、今日は無理かなあ」

あくびをかみ殺しながら、お皿を割らないようにしないと、とつい考えてしまう。

そうね、気をつけないと、というように、アリスが頭をすねの辺りにこすりつけた。

猫のアリスは透の大切な友達だけれど、一整のことも気に入っているらしく、ちょこちょこ離れに足を運んでは、くつろいだり、一整にかまってもらったりしているようだった。一整もどうやら猫の訪れは楽しみらしく、透が部屋を訪ねるごとに、アリスのために買ったらしい猫のおもちゃが増えていくのがわかる。

最初出会った頃ほどではないけれど、表情が真面目に硬くなりがちな一整が、猫と遊ぶときは柔らかな笑顔になる。その笑顔が透は好きだった。たぶん猫ほんにんも。だからいつも遊びに行くのだろう。

ふと、アリスが顔を上げて、川の方を振り返った。

桜風堂書店のそばには、古い橋があり、川原の遊歩道へと降りる、ゆるやかな石の階段があるのだけれど、どうもそちらが気になるらしい。

「どうしたの？　アリス」

透は、自分も川の方をうかがう。

誰かが橋の上にいる。——見慣れない感じの子ども、男の子が川を見下ろしているようだ。桜野町の人口、特に子どもの数は少ない。みんなが顔見知りみたいな町なので、「知らない子ども」なんてまずいないから、気になった。

「——あれ、あの子、もしかして」

ゆうべ、夜の山で見かけた、転校生の葛葉千晶の弟に年格好が似ているような。

端の手すりに寄りかかるようにして、楽しそうに川の流れを見下ろしているようだ。あれくらいの年齢の男の子がよくやるように、うきうきとちょっと落ち着きなく、夢中になって見下ろしている。透の視線には気づかないようだ。こちらを振り返ることもない。

そうだよねえ、川の流れってついつい見下ろすよね、と、透はうなずく。そして、いつまでも時を忘れて見つめ続けてしまったりするものなのだ。

透自身がこの町に来たばかりの頃、ちょうどあんな感じで、飽きずに橋から川を見下ろしていた時期があるので、気持ちはよくわかる。

ゆうべのあの子だとしたら、近所に散歩に来たのだろうか、と思う。

(家族と一緒なのかな?)

もし商店街に買い物に来たのだとしたら、さすがに早朝のこと、まだどこも開いている時間ではないので、つまらないだろうなあ、と思う。

橋まで行って、おはようと声をかけようかと思ったけれど、パジャマ姿なのを思いだして、やめておくことにした。もし千晶がそばにいたりしたらと思うと、行儀も悪いし、かっこだって悪い。

(なんだ、あの子、普通の男の子だな)

透はくすりと笑う。

姉の千晶がどこか不思議な、謎めいた女の子だから、弟らしいあの子も同じような感じなのかな、と無意識のうちに思っていた。

というか、弟が普通の男の子なら、姉の千晶だって、普通の女の子なのかも知れない。

「だよなあ」

朝の光の中で、透は呟く。

人生、そうそう物語の中の出来事みたいな、現実離れしたことなんてあるはずがない。きっとすべてが透の気のせいで錯覚によるものなのだ。

うんうんとうなずきながら、新聞を手に、家に戻ろうとしたとき、ばしゃりと何か大きな物が水に落ちるような音を聴いた。

とっさに橋の方を振り返ると、さっきまでそこにいた、あの男の子の姿がない。

アリスが駆けだした。透の方を振り返り振り返り、呼ぶようにしながら、先に立って川の方へと走ってゆく。

「待って、アリス」

透は新聞紙を新聞受けに戻して、猫のあとを追うように、自分も川に向かった。

橋から見下ろすと、川の中で、びっくりしたような顔をしたあの男の子がばしゃばしゃと水しぶきを上げている。近くにあった大きな岩に、何度も滑りながらしがみつき、必死な表情で顔を上げた。

「落ち着いて、そんなに深い川じゃないから」

透は声を投げかけた。男の子は泣きそうな顔をしたまま、うなずいたようだった。

けれど川の流れは速いし、秋のこの時期はもう、水は冷たいはずだ。それにもしかしたら、橋から落ちたときに、どこかに怪我をしたかも知れない。小さな川にかかる小さな橋とはいえ、そこそこの高さはある。むしろそちらが心配だ。

「大丈夫？　どこも痛くない？」

「大丈夫」

男の子は答えると、川岸から伸びていた木の枝に手を伸ばし、片腕で抱きつくようにした。もう片方の腕は変わらず、大きな岩にしがみついている。

「良かった。その木の枝、離さないでね」

おとなを呼んでこようかと思ったけれど、目を離した隙に、あの子が水に落ち、流されたらどうしよう、と思った。スマホを持っていたら良かったのだけれど、パジャマ姿ではさすがに持っていない。部屋に置いたままだ。

「とりあえず、ぼくがなんとかしないと」

透はうなずき、辺りをうかがった。

あの場所なら、落ち着いて岩伝いに移動すれば、向こう側の川岸に行ける。透にとっては近所の遊び場だから、その辺は熟知している。

（でも、口で説明するのは難しそうだ）

手を引いてあげればなんとかなるだろう。透自身もそんなふうにして、いろんなひとに手を引かれて、川遊びを覚えたのだから。

透は急ぎ川原に降りた。川の水の中に入り、ところどころに顔を出している大きな岩につかまるようにしながら、流されそうになっている男の子のそばに近づいた。水が冷たい。流されそうになる。岩は滑るし足元はふわふわ浮き上がる。

それでもなんとかして、男の子がしがみついている岩にたどりついた。滑る岩に、死ぬ気になって指をかけ、上に上がった。

手を伸ばし、男の子に声をかけて、片方の手で透の手を握ってもらい、岩の上へと引っ張り上げた。濡れている岩が怖く、自分も足を滑らせてしまいそうだったけれど、なんとか踏ん張った。人間、ひとふたり分の命のためだと思えば、力が出るものだな、と思う。きっとこれがいわゆる、火事場の馬鹿力なのだろう、なんていうことを、透は頭の片隅で、どこか冷静に考えていた。

岩から岩へと、男の子に声をかけながら、ときに飛んで移動したりもしながら、移り歩いて行き、やがて、川岸へと辿り着いた。

川岸に茂る、秋の草波の中に、その子とともに飛び込んで、へたへたとしゃがみ込むと、濡れた体に、朝の風が氷のような冷たさで吹きすぎ、冷やしていった。どうしようもなくからだが震えた。

寒いのか怖かったのか、それともそのどちらもなのか、男の子もぶるぶると体を震わせている。顔が青ざめていた。

男の子はそれでも笑顔になって、透に、

「ありがとうございます」

と、きちんとお礼をいってくれた。

朝の光の下で見ると、この子の瞳の色も、千晶と同じ蜂蜜色で、透明感のあるまなざしもよく似ている。

「えっと、きみは葛葉千晶さんの弟さんなのかな？」

透が訊ねると、男の子はきょとんとした顔をして、そのあと、そうです、と、不思議そうにうなずいた。

「やっぱり、そうなんだ。ぼくは、お姉さんと同じクラスなんだよ。あと、ゆうべ、バスの中から――」

と、話し始めたとき、

「おーい、透くん」

と、橋の上から誰かが――月原一整が、大きな声で、透の名前を呼んだ。「どうしたの、いったい？　川に落ちたのかい？」

気遣わしげに、透と、その横にいる男の子の方を見つめる。その足下にはアリスがいた。

「月原さーん」

透はほっとして、川原から大きく手を振った。

開店よりもずいぶん早い時間だったけれど、一整は桜風堂書店の中に透と男の子を呼んで、ストーブをつけてくれた。店の真ん中に置いてある大きなテーブルの椅子にふたりを座らせ、母屋からバスタオルをとってきてふたりに渡すと、泥で汚れたそれぞれの濡れた服を預かって洗濯機に入れ、カフェスペースで手早くミルクを温めてくれた。

バスタオルにくるまって、ストーブに当たりながら飲むホットミルクはふわふわと湯気を立て、溶けるように甘くて美味しかった。生き返るような一杯だった。そういえば、今朝は朝食がまだだった、とぼんやりと考える。土曜日の朝、朝食前に人助けという冒険をひとつこなした感じだなあ、と。

（日常の中に、こんな非日常があるってさ）

軽く肩をすくめる。助けられたから良かったけど、普通の日常が良いなあ、と噛みしめた。朝からドラマチックなのはちょっと困るというか。

千晶の弟は猫舌なのか、ふうふう吹きながら、少しずつ飲んでいるようだ。姉に似て色白の頬にみるみる血の気が差していった。

あちこちすりむいたりしてはいるものの、大きな怪我はしていないようだった。透はオロナインの瓶を渡してやりながら、良かった、と思った。むしろ、自分の方がどこかのタイミングで左の足首を傷めたらしく、じんじんと痛んできていた。いつ捻ったかぶつけたか、覚えていないのは、必死だったからだろう。

男の子は瓶を受け取ってにっこり笑う。

「ぼくたちは——ぼくはね、身軽なんだよ。あれくらいの高さ、どうってことない」

ちょっとさ、びっくりしただけ、と恥ずかしそうに付け加えた。そして男の子はしげしげとオロナインの瓶を見つめ、ゆっくりと蓋を開けると、珍しそうに軟膏の匂いを嗅いだ。

一整は、着替える前だったのだろう。まだ部屋着のフリースの上下を着たままで、ほっとしたような笑顔で、

「さてそろそろ開店の準備をするかな、と布団を片付けていたら、アリスが走ってきてね。ついて来て、川の方に来て、って呼ぶんだよ。猫の言葉って通じるものなんだね。何事かと思ってさ」

行ってみて良かったよ、と一整は笑う。

「ありがとうございます。助かりました。アリスもありがとうね。さすが、賢いなあ」

猫は、透が岩伝いに男の子を助けようと悪戦苦闘していたとき、家まで走って帰って、一整を連れてきてくれていたのだろう。

額を撫でると、猫は得意そうに首を伸ばし、目を閉じた。

洗濯が終わるまで、と透が服を貸した、そのときだった。

何の前触れもなく、店の扉が開き、長い髪をなびかせた葛葉千晶が、店の中へ駆け込んできた。そうして、椅子に腰をおろした弟に身をかがめ、大切にすくい上げるように抱きしめた。とても大切なものをかき抱くように。

「——千早(ちはや)、あんたがいないと、わたしは世界でひとりぼっちになっちゃうじゃない」

呟く声が聞こえた。

きょうだい仲が良いんだな、と思いつつ、違和感があった。自分の弟が、いまこのタイミングで、桜風堂書店のこの場所にいることを、何か危ない目に遭(あ)っていたらしいことを、まるで扉を開ける前に知っていて、まっすぐ駆け込んできたように見えたからだった。

透と一整が、しばし状況が読めなくて、葛葉姉弟を見つめていると、千晶ははっとしたように、居住まいを正すようにして、

「ありがとうございます」

と、頭を下げた。「そのう、どうもこの子がお世話になっていたみたいで。ええと」

「お姉ちゃん、ちゃんとお礼をいってよね」

千早と呼ばれた弟は、軽く腕を突っ張るようにして、姉から身を離した。「そのお兄ちゃんに助けてもらったんだから。服だって貸してもらったんだよ」

千早が透を見やり、千晶はその視線を追うようにして、今更のように透を見つめた。

蜂蜜色の澄んだ瞳が潤(うる)み、長い睫毛(まつげ)に、小さく涙の粒が光っていた。

透はドギマギとして、両手を振った。

「えっとその、たまたまだよ、たまたま。ぼく、川の近所に住んでたから。――ああ、そういうこと、いいたかったわけじゃなくて」

自分の頬が火照(ほて)るのがわかる。今更のように、未だバスタオル姿だった自分のかっこ悪さが情けなくなったりもした。「ぼくは、その、千早くんが川に落ちたとき、すぐそばにいたんだ。そばにいて助けられて良かったと思ってる」

千晶の目に大粒の涙が浮かんだ。水晶のような、ガラスのような涙だと思った。

　千晶は嗚咽をこらえるように両手で口元を押さえ、透に深く頭を下げた。

　やがて藤森や来未たち、店のスタッフがやって来て、開店の準備を始め、千早と透の冷えていたそのからだがストーブで暖まってきた頃――。

　千晶は言葉少なに、引っ越してきたばかりだから、朝の散歩を兼ねて、この町まで弟とふたりで来たのだ、といった。

「この近くに、行きたいところがあったんです。弟とふたりで、行かなくちゃいけないところが」

　けれど、初めての町で、物珍しさにあちこち見とれていたら、気がつくと弟の姿が見えなくなって、慌てて探していたのだと。

　きょうだい以外の、他の家族はどうしたのだとか、そもそも山のどの辺りで暮らし始めたのか、どこになぜ行きたかったのか、なんて質問は、藤森たちがそれとなく訊いたけれど、それには特に返事はなかった。

　透もその辺りは気になったけれど、いいたくない事情があるのかも、と思うと、深く踏み込んでまでは訊けなかった。透自身、家族のことではひとに話したくないこともある。そしてこの町は昔から、必要以上は訪れたひとびとの事情に踏み込まない、強く優しいルールを持って続いている町であり――なので、ひとびとは、姉弟がそこにいるだけでよしとするように、ただ見守っていた。

そのうち、千晶がふと目を輝かせて、店の棚に並ぶ本の数々を見始めたので、ひとびとはどこかほっとしたように、それぞれの仕事をしながら、それとなく彼女を見守っていた。

やがて開店の時間になり、町のひとびとが店を訪れ、いつものように、楽しげな会話がそこそこで花を咲かせたり、静かにひとり棚の本たちと向かい合うひとびともいたりと、いつもの桜風堂書店の幸せな朝が始まった。ピアノ曲の静かなBGMも空気のように漂い、そんな中で、コーヒーサイフォンが良い香りと、お湯が沸く楽しげな音を響かせ始める。朝の光が、窓から射し込み、木の床が年期を経て得た、麗しいつやを輝かせる。

姉弟に気付くと、訪れたひとびとは、おや、というように目をやったり、微笑みを浮かべたりしたけれど、特に声をかけるでもなく、同じ空間に迎え入れているようだった。

店内に満ちる穏やかな光の中で、千晶は、少しだけはにかんだような表情で、静かに本たちの背表紙を眺め、時に棚から抜いて、頁を開き、眺めたりしていた。

そのうちふと、ひとりごとのようにいった。

「ここはとてもいいところね。初めて来たはずなのに、とても懐かしい。町も、そしてこのお店も。記念に何か一冊、買って帰ろうかな。選ぶのに迷っちゃいそうだけど」

その言葉に、透は、ああ千晶はいつかこの町からいなくなるのだろうな、と思った。きっとそうたたないうちに。

ずっと住む町ならば、ひとはきっと記念になるようなものを買ったりはしない。

透の視線――たぶん寂しげな――に気付いたのだろう。千晶は言い訳をするように目を伏せて、いった。

「ひとつの町に長くいることはないの。――でもいつだって、嫌でいなくなるわけじゃない。この町は特に。だって――だって、ご先祖様が住んでいた町だもの」

「ご先祖様……？」

「わたしも弟も、ここが故郷なのよ。ずっと帰ってきたかった。わたしたちだけじゃなく、たくさんのひとたちが。きっと。一族みんなの憧れの地だった。

そのせいかな。空も山も、みんな懐かしく感じる。ひとの、笑顔も。とても優しいのね。お帰りなさいっていわれているみたい」

透は、その言葉の意味を摑みかねて、それならずっとここにいればいいのにな、と、それだけ思った。

横で会話を聞いていたらしい千早が、

「あのね、川だって懐かしいよ。ずっと見ていたいくらい。だからぼく橋から落ちたんだ。そうじゃなかったら、そんなうっかりしないもん」

話に割り込んできて、そういった。

店を訪れる客たちは、時間によって入れ替わり、賑やかなひとびとがまた扉を開ける。この日は動画の取材中の楓太（ふうた）と、コーヒーを飲みに来た音哉（おとや）も同じタイミングで鉢合わせして、千晶がいることに気付くと喜んだ。あとは本好き同士、棚を一緒に眺めながら、話に花を咲かせたりした。その頃には、千晶の表情も、ずいぶん柔らかなものになっていた。

ちょうどお昼にさしかかる頃でもあり、透の祖父にそれとなく耳打ちされた一整が、手早くサンドイッチや飲み物を出してくれて、透たちはわいわいと美味しいものを楽しんだ。

やがて、楓太は取材の約束があるから、と、音哉はオンラインのレッスンの時間だから、と、名残惜しそうに手を振って帰っていった。

「またね」と、千晶に声をかけて。

「また本の話とかしようね」と、笑顔で。

「またね」

千晶も笑顔でそれに答えて、小さく手を振った。

　千早の服の洗濯が終わり、乾燥機の力で良い感じに乾いた頃には、日がかすかに傾き始めていた。まだ明るい時間だけれど、黄昏時（たそがれどき）と夜がじきに訪れようとして、どこかでそっと待っている気配がするような、そんなうら寂しい時間だ。

　ではそろそろ帰ります、と千晶が透たちに、改めてお礼をいおうとした。

「行きたいところもありますし」

　きゅっと口唇を嚙んだ。透は、

「そこまで送るよ」

　と、声をかけた。

　千晶たちがどこに用があるのかは知らないけれど、地元民の自分が一緒の方が、目的地に辿り着くのがずっと楽だろうと思った。

（それに、またはぐれたり、川に落ちるようなことがあるといけないし）

　左足は痛むけれど、自転車を押していって、帰りはひとりで漕（こ）いで帰ろう。

　姉弟はちょっと顔を見合わせたけれど、特に嫌だともいわれなかったので、透は店のひとたちに断って、姉弟と一緒に店を出た。

　千晶と千早は、町を突っ切る道のひとつを、妙音岳（みようおんだけ）の上の方へ向けて、わずかな迷いも見せずに進んでゆく。

　秋の山道を行きながら、千晶がふと、いった。

「この山には、湖がいくつかあるのでしょう。そのうちのひとつ、いちばん大きな湖を見に行きたいの」

　思いがけない言葉に、透は息を飲んだ。

「――それって、ええと、あの、もしかして、古の竜神が眠っているっていう伝説の湖？」

　何もいわずに、千晶と、そして千早がうなずいた。秋の風に、千晶の長い琥珀色の髪が流れ、日差しに金色に輝いた。

「どうして？」

　あの伝説ってそんなに有名だったっけ、とか、軽い口調で聞ければ良かったのかも知れない。けれど言葉が巧く出てこなかった。

　だから透は、ただ口を結んで、少しでも早く山の上の方へ行けるだろう道を、頭の中で考えて、そちらへとふたりを誘おうとした。

　村はずれへと、道は続く。ゆったりとした登り坂になる。

　途中で、拝み屋のおばあさんの家の前へとさしかかった。柔和な笑顔を浮かべたあのおばあさんが、後ろに手を組んで、家の前に立っていた。まるで、透たちがその日その時間にそこを通ることがわかっていたように。

おばあさんは、透に、「こんにちは」といい、千晶に、「お帰り」といった。皺だらけの手で、千早の頭をそっとなでた。

そして、千晶にいった。

「そうかそうか。こんな風に、あんたが帰ってくることが、きっと昔に決まっていたんだね」

千晶はただおばあさんに会釈(えしゃく)した。皆が通り過ぎようとしたとき、おばあさんが秋の草花でこしらえた、美しい花の輪を千草に手渡した。

「これを竜神に供(そな)えてあげなさい」

千晶はお礼をいって、花の輪を受け取った。

透はただ、それを見ていた。不思議な物語が、目の前で唐突(とうとつ)に始まったようだった。いままで普通の土曜日を過ごしていたはずだったのに、どこかで——夢か映画か物語の世界に、引き込まれていた、というように。

おばあさんがいつまでも自分たちを見送っていることを、透は背中で感じていた。

道は山の頂上へ向けて、ゆるやかに続いてゆく。あたりは一面に薄(すすき)野原。日の光を受けて、きらきらと狐の尾のような穂が輝く。銀色の海のようにも見えた。

千早が薄を一本抜いて、ふわふわと振り回しながら、先に立って歩いて行く。

それを見守るようにしながら、千晶がふといった。

「こんな話を知ってる？　山で自由に暮らしていた狐の娘が、木地師(きじし)の若者に恋をしたお話。娘は狐として生きることをやめて、ひとの姿になり、若者に嫁いだ。ひとの里で暮らすようになって、娘は、ひとという存在そのものに恋をした。やがてその里を守るために、狐の不思議な力を失い、若者のそばから姿を消し、人里でひととして暮らすこともできなくなった」

透はうなずいた。

「この町に伝わるお伽話(とぎばなし)だよね。——若者は帰らない娘を待ち続けてやがて年老いて死んでしまい、狐の娘もまた若者の生涯をそばで見守りつつも、二度とその前に出ることはできないまま、死んじゃったんだよね」

「実はその後の話があるの」

千晶は、静かに言葉を続けた。「最後まで優しく生きた狐の娘と若者を不憫(ふびん)に思った山の神々は、亡くなったふたりを生き返らせた。遠い日にふたりが別れたときのままの、若い頃の姿で」

「えっ？」

「けれど、ひとの寿命の長さを変えることは、ほんとうは神々にも赦(ゆる)されていないこと。里のひとびとには話してはいけない、どこか遠くへ行きなさい、と、神々にいわれて、若い夫婦は、この里を離れて旅立ったの。

ふたりは新しい命を得たけれど、故郷を永遠に失うことになった。それでも、若者は元々、旅人の生まれつき、娘も元は野の獣。ふたりと、その子孫は、野山を旅してゆき、時に海をも越えて異国にも渡り、自由に暮らしていったのよ。帰れない故郷を、長く長く思いながら。

狐の娘と若者の末裔たちには、故郷を忘れられない理由があった。遠い未来に竜神がきっと蘇る。そのときは今度こそ故郷を滅ぼしさるだろうと、そんな言葉も伝えられてきていたから。——あるときから、その子孫の中に、故郷をその竜神から救えないだろうか、と考える者達が現れた。二度と帰れないやも知れぬ故郷だと思うからこそ、よけいにその地に憧れ、その地を救えないかと思ったのかも知れない。元がお伽話のように、狐の恋から始まった、その子孫たちだったからこそ、奇跡や魔法の力で、滅びのさだめが変えられないかと思ったのかも知れない。

世界中に広がった、狐の娘の子孫のうち、そんな夢を見た一族があったの。長い長い年月をかけ、この国や世界を渡り歩き、いろんな知識を得て、調べ物や研究、辛い修業を繰り返して、そしてついに、娘の遠い子孫は、ひとつの呪文を見出した。湖の底に眠る竜神を永久に眠らせるための呪文を。

そこに至る道は、長くそして過酷で、最後に残った末裔は、若い娘と幼い弟ただふたり——」

透は言葉を失った。

青く澄んだ秋の空から、透き通る風が吹き渡り、輝く薄の穂をさざなみのように揺らす。その海の中、琥珀色の長い髪の千晶が歩みを進める。秋の色に染まった山の上を見上げて。

「竜神が目覚める前に、桜野町に戻ってこられて良かったわ。呪文を運ぶことができて、よかった。そして故郷のひとびとが、楽しくて優しいひとばかりだって知れてよかった。きっと守るにたるひとたちだったって——」

くるりとこちらを振り返って、千晶は笑う。

「なんてね。信じた？」

透は何も答えず、千晶の横を通り過ぎ、自転車を押して、山の上を目指した。

（そんな、お伽話か、物語みたいなこと）

リアルであるはずがない、と思いつつも、秋の風が耳元でうたうように音を立て、薄野原がざわめくこんな日には、現実こそ、ずっと遠くのものに思えた。

ここは桜野町。お伽話や神々の物語に、とても近い場所なのだ。

　あれから、長い時間が経って、いまの透は、あの不思議に満ちた土曜日に起きたことは、ほんとうのことだったのか、それとも夢幻の出来事だったのか、と揺らぐように思う。

　たしかなのは、あの秋の日に転校生が来たことと、彼女とその弟が、桜野町を訪れ、桜風堂書店でひとときを過ごしたことだ。

　そのあと、山の湖を訪れたことと、そこで起きた出来事は思い出そうとしても、夢の中の出来事のように遠ざかる。

　山の湖に着いたのは、空に大きな月が昇る頃だった。

　月光に照らされた、広々と大きく青い湖は、その底が見えるのでは、と思うほど透き通って見えた。

　その汀に、千晶と千早はひざをつき、どこの国の言葉とも知れない、不思議な詩のような言葉を、水に注ぎ込むように呟いた。

　静かに夜風が吹き、湖の水に波紋を作り、そして言葉を唱え終わった千晶は、拝み屋のおばあさんから託された花の輪を、静かに、湖に沈めた。

　花は月の光に照らされながら、深く深く、ゆらゆらと沈んでいった。――そして、これは透の見間違いかも知れないのだけれど、湖の暗く深いところで、大きな金色のふたつの目が、夜空を見上げて光ったような気がした。

えなくなった。

目は、ぱちりぱちりとまばたきを繰り返すと、静かにまぶたを閉じ、それきり見

月の光に照らされながら、透は、千晶と千早をあの古いバス停のそばにある、小さな古い家まで送った。——朧気に、そんな記憶がある。

そこでは、見知らぬ外国のお茶やお菓子を出してもらったかも知れない。

荷物も何もない、窓にはカーテンもかかっていないような家で、ただ大きなトランクがふたつほど置いてあった。

ああここはすぐにでも旅立てるような、そんな旅人の家なんだな、と、寂しく思ったのを、透は覚えている。

それからそう、「夢みたいな出来事だった」と、透が呟くと、千晶はこんなことをいった。

「わたしにとっては、あなたと会えたことが夢の中のお話みたいだったわ」と。

大きな窓から降りそそぐ、月の光を浴びて。

「世界には、あなたたちから見て不思議なことがたくさんあるの。魔法の世界で呼吸して、生きている存在がある。あなたたち、普通の人間には見えない、聞こえない、お伽話みたいなことがたくさんあって、あなたたちの普通の生活のすぐそばを

通り過ぎているの。同じ宇宙の時間を生きながら、交わることはなく、そっと見守り、通り過ぎながら生きているのよ。

　わたしたちは風のように、すぐそばを吹きすぎて行くだけ。目が合い、言葉を交わしても、錯覚だと忘れさられてゆく。そういうものだとわかってはいても、たまに、寂しくなることもあるの。そしてたまに——あなたみたいに、不思議に気付くひとがいる」

　千晶は、蜂蜜色の目に笑みを浮かべた。

「気付いてくれて、ありがとう。わたしと弟の——わたしたちの長い長い旅を知り、わずかでも同じ時を過ごしてくれて、嬉しかった」

　透は、月の光の眩(まぶ)しさに息が止まりそうで、千晶の目の美しさに魅入(みい)られそうで、笑って誤魔化(ごまか)そうとするしかなかった。

「まるでさよならみたいなことをいうんだね」

「だって、さよならだもの」

　それが、透が訊いた千晶の最後の言葉だった。いやそのあとに、風が吹き付けるようにかすかに聞こえた、

「わたしのこと、覚えていてね」

　といった一言が最後だったかも知れない。「わたしね、たぶん、知っていてほし

かったの。わたしがここにいるということを。長い時を越えて、この平和な町を、帰れない故郷を救おうと願い続け、祈り続けたひとびとがいたということを。ほんの一瞬でいい、わたしの声に耳を傾け、振り返ってほしかったのかも」

その日のことを思い出すたび、透は思う。

千晶と弟はいまも、世界のどこかにいるのだろうか、と。どこか広い空の下で、風に吹かれて、旅を続けているのだろうか、と。

千晶はあれきり、桜野町を訪れることはなく、学校にも二度と来なかった。先生はただ、急な転勤が決まったらしい、とそれだけをクラスの皆に告げた。

あの夜に透が訪ねたはずの、バス停のそばの小さな家は、どこにも見当たらず、桜野町の誰もそんな家のことを知らなかった。

あの土曜日の午後、楓太がたまたま桜風堂の店内の様子を撮影していて、そこに千晶と千早の姿も写っているはずだったのだけれど、再生してみても、まるで魔法で消し去ったように、ふたりの姿はそこになかった。

何もかもが、現実ではなく、夢ものがたりだったように。

それでも、透たちはあの日、千晶と千早が店に来たことを覚えている。桜風堂書店の本棚に並んでいた、たくさんの本に目を輝かせ、記念に、と本を一冊買って帰ったことも。

「これ持ってるんだけど、記念にするなら、やっぱりこの本かなあ」

と、笑いながら、彼女は文庫本の『風の又三郎』に、桜風堂オリジナルのカバーを掛けてもらい、大切そうに持ち帰ったのだった。

「またいつか、帰ってくればいいのにな」

透は思う。

秋の風に乗って、帰ってくればいいのに、と。

（だって気がつけば、町を守ってくれてありがとうって、お礼をいってないよ）

もっと本の話をしたかったし、町の中を一緒に歩いてみたりしたかった。

一瞬で吹きすぎた秋の風のような女の子は、湖の竜を眠らせて、どこかへいってしまった。誰も知らない物語の主人公のように。

それでも、すべてが現実的な出来事で、ただ透があの一日、妄想と夢幻の時間を生きていたのだと、そんな解釈もできるかも知れない。あの子はただの転校生。言動がちょっと謎めいていただけの、ただのひとりの中学生だったのだと。動画に残らなかったのは機材の不具合で――。

けれど、透はそんなふうには思いたくなかった。あの秋の日の記憶を感じたままに、忘れずにいたいと思った。

あの夜、山の中の小さな家で、透の足首の痛みを、千晶は癒やしてくれた。白い優しいてのひらで、そっと撫でて、痛みを治す魔法があるのよ、と異国の呪文をささやいた。夜の風が波の音のように辺りに響き渡っていた。

「きっとずっと忘れないよ」

透は呟く。「おとなになっても忘れない」

覚えていて、とあの子はいったけれど、忘れようがないよ、きっと。

世界のすぐそばに、魔法や奇跡が息づく世界があるということを、月の光に照らされた、夢ものがたりの世界があるということを、透はきっと忘れない。

（後編終わり）

さよなら校長先生

9 こんぺいとう 前編

瀧羽麻子
Takiwa Asako

着替えをすませ、更衣室から出てきたら、ロビーの隅に置かれた自動販売機の前に短い行列ができていた。

機械の前面にずらりと並んだ色とりどりの写真を眺めて、真剣な顔つきで考えこんでいる子もいれば、どれにしようかと友達どうしで楽しそうに相談している子たちもいる。列の傍らで、迎えに来たらしい母親の手をひっぱって、買って買ってとしつこくせがんでいる子もいる。

レッスンの後にアイスを食べるのは、このスイミングスクールに通う生徒たちの間では定番のお楽しみだ。

おなじみの光景は、涼花がおととし入会したときから変わらない。涼花自身も、レッスンが終わってプールサイドに上がるなり、今日はどのアイスを食べようかと思案するのが習慣になっていた。送迎バスは飲食禁止で、乗りこむ前に食べきってしまわないといけないから、あまりぐずぐず迷ってもいられない。ねらっていたやつがたまたま売り切れだったりすると、心底がっかりしたものだ。

涼花は列の後ろを素通りして、空いているベンチに腰かけた。

スクールのロゴが入ったバッグのポケットから、個包装のチョコレートを出して口に放りこむ。濃厚な甘みが、舌の上でじんわりととろける。

泳いだ後は、びっくりするくらいおなかが空く。

学校で体育の授業がある日の四時間目や、休日に公園で友達と遊んだ帰り道なんかにも、腹ぺこになることはあるけれど、プールから上がったときの空腹は比べものにならない。おなかの中がすっかり空っぽになってしまったような感じがする。特にがんばって練習した日には、胃がきゅっとしめつけられるように痛むことさえある。ひょっとしたら、おなかの中は空っぽじゃなくて、食いしん坊の妖怪がこっそり隠れているんじゃないかと思えてくるくらいだ。幼稚園の頃に絵本で読んだ。そいつはものすごく食い意地が張っていて、食べものが足りなくなるやいなや、がまんできずに暴れ出すらしい。

さっき自販機の前にいた女子がふたり、こっちにぶらぶらと歩いてきた。お喋りしながら、涼花の座っているベンチの反対側に腰を下ろす。ひとりはアイスもなか、もうひとりはコーンつきのソフトクリームを手に持っている。

もなかを食べている子が、一列分をぱきんと折って、もうひとりに手渡した。もらったほうも、お返しにソフトクリームをなめさせてあげている。横目で見ているうちに、今度はおなかじゃなくて、胸のあたりがちくちく痛み出した。

顔をそむけた拍子に、正面のガラス窓が目に入った。

おとなが何人か、こちらに背を向けて立っている。息子や娘のレッスンを見学している保護者たちだった。この窓から、階下のプールを見下ろせる。月に二度の進級テストの日には人だかりができているけれど、ふだんの平日はそこまででもない。窓に張りついてプールを見守っているのは、よっぽど熱心な親だけだ。ミチルのママだ。

見覚えのある小柄な背中が目にとまって、涼花はそっと視線をそらした。ミチルのママだ。そろそろ選手コースの練習がはじまる時間だった。

更衣室で、ミチル本人ともすれ違った。一瞬だけ目は合ったものの、話しはしなかった。

わざとじゃない。タイミングが悪かっただけだ。涼花は水着を脱ぎかけている途中で、半分裸だった。ミチルはミチルで、一緒に入ってきた友達から、なにやら話しかけられていた。

涼花が着替えを終えたときにも、まだミチルの連れは甲高い声でべらべらと喋り続けていた。大会、という単語が何度も出てきた。別に聞き耳を立てていたわけではない。その子の声が大きすぎて、自然に涼花の耳にも入ってきたのだ。

なんの話題なのかは、涼花にもすぐ察しがついた。

正面玄関の脇にある掲示板は、この建物に出入りするときに必ず目に入る。掲示してあるチラシやポスターは時々で変わるが、半月ほど前からは、小学生向けの競技会の案内が貼り出されていた。このスクールの選手コースからも数人が出場する。

送迎バスがもうすぐ出発する、と館内放送が入った。

ロビーで待っていた子どもたちが、出口へ向かっていく。同じベンチのふたりも、アイスを食べ終えて立ちあがった。涼花も腰を上げた。掲示板の前を通り過ぎて、自動ドアをくぐる。

大会のポスターには、選手たちの名前と顔写真が学年別に並んでいる。笑みを浮かべている子が多い中、きまじめに口を引き結んだミチルの真顔は目をひく。

ポスターの一番上に、ひときわ大きな字で日付が書かれている。七月最後の土曜日、つまり明日だ。

送迎バスの停留所はいくつかあって、涼花の住むマンションに一番近いのは郵便局の前だ。バスを降りると、いつものようにママが待っていた。

「おかえり」

声をかけられて、涼花は「ただいま」と応える。

「ママも、おかえり」

「ただいま」

ママも仕事の帰りなのだ。

マンションまでは歩いて五分もかからない。涼花がお風呂に入っている間にママが夕ごはんを用意してくれて、ふたりで食べた。平日の夜は、パパはたいてい残業で遅い。おかずは鶏のからあげだった。スイミングのある金曜日は、涼花がお肉か揚げものを喜ぶのをママも知っている。

もりもり食べていると、ママが話しかけてきた。

「明日、競技会だよね？」

涼花はちょうど、口いっぱいにごはんをほおばったところだった。もぐもぐと咀嚼しながら、どう返事したらいいか考える。

「そうだったっけ」

ママの聞こうとしていることはだいたい見当がついたけれど、ひとまずとぼけて問い返してみた。

「応援、涼花も行く？」

ママは言った。涼花の予想はあたっていたようだ。

「今日、ミチルちゃんのママから連絡もらってね。ミチルちゃんの出番は午後だって。ママは特に予定ないし、行くなら車で送り迎えできるよ」

軽い口ぶりで「どうする？　どっちでもいいけど」と言い添える。涼花のほうも、軽く答えた。

「明日はやめとこうかな。おばあちゃんちに行こうと思って」

「え、そうなの？」

同じ町内にある父方のおばあちゃんの家に、涼花はしょっちゅう遊びにいく。ママが仕事で遅くなる日や、出張で留守の日には、夕ごはんを食べさせてもらったり、泊まったりすることもある。

ママは化粧品会社に勤めている。独身時代から涼花が生まれるまでの時期は、同じ業界の、別の企業で働いていたらしい。出産をきっかけにそこを辞めて、何年か専業主婦をしていた。

会社勤めを再開したのは、涼花が四歳のときだった。

夫である涼花のパパにも、実の両親にあたる母方のおじいちゃんとおばあちゃんにも、当初は反対された。涼花がもっと手がかからなくなるまで待ったほうがいい、と皆が口をそろえたという。ただひとり、父方のおばあちゃんだけが、ママの肩を持ってくれた。近くに住んでいるのだし、困ったときはいつでもうちを頼ってほしいと言われて、ママは大感激したそうだ。

「ほんとによくできたお姑(しゅうとめ)さんねえ」

　母方のおばあちゃんは、よくママにそう言う。

「お嫁さんにそんな気遣い、わたしにはとてもできないわ」

　ほんとに嫌味だよねえ、とママは陰でぼやいている。「時代遅れ」とか「頭が固い」とか、「お義母さんの爪の垢を煎じて飲ませたい」とか言うこともある。気持ち悪いなと涼花はぎょっとしたけれど、本当に爪の垢を飲むわけじゃなくて、お手本として見習ってほしいという意味のことわざらしい。

　涼花自身も、ママは仕事をしたほうがいいと思う。ずっと家にいたときよりも、断然生き生きしている。涼花のせいでママにがまんさせるのもいやだ。

　からあげをもうひとつつまんで、涼花は言った。

「おばあちゃんに、昔の話を聞かせてもらおうと思って。こないだ言ってた、夏休みの宿題のやつ」

「ああ、社会の?」

社会科の地域学習で、この街の歴史を調べるという課題が出ている。家族から話を聞いたり、資料を調べたりして、昔と今で変わったところと変わっていないところをまとめるのだ。

ママはここの出身ではないので、まずはパパに聞いてみたら、おばあちゃんが適任だろうと言われた。市内で生まれ育った上に、若い頃は公立小学校の先生をしていて地域の活動にもかかわってきたらしく、詳しいはずだという。

「おばあちゃんって、学校の先生だったんだね。知らなかった」

「そうらしいね。似合うよね」

先週、夏休みがはじまってすぐに、さっそく相談してみた。おばあちゃんは快諾してくれた。その日はノートを持っていっていなかったから、また今度ゆっくり話を聞かせてもらうことにした。いつでもいいよ、涼ちゃんの好きなときにおいで、とおばあちゃんは言っていた。

いつでもいいってことは、明日だっていいはずだ。

「じゃあ、ミチルちゃんのママにもそう返事しとくね」

ママが話を戻した。

「ミチルちゃん、がんばってるんだね」

「みたいだね」

涼花は慎重に相槌を打った。

「調子はいいのかな?」

「さあ」

知らない、だと冷たい感じに聞こえてしまいそうだから、無難な返事を考える。

「悪くはないんじゃない?」

そうでなければ、大会には出られないだろう。ミチルの実力なら、ちょっとくらい調子が悪くたって、別に平気なのかもしれないけれど。

「最近はもう、スクールで会ったりはしないの?」

重ねてたずねられ、どきりとして言い返した。

「だって、時間が違うもん」

更衣室に入ってきたときの、ミチルの姿が脳裏に浮かんだ。気づいたのは涼花のほうが先だった。ミチルはきょろきょろと左右を見回して、着替えている涼花を見つけると、口を薄く開けた。なにか言いたそうにも見えたけれど、気のせいだったかもしれない。すぐに目をそらしたから、ちゃんと確かめそびれてしまった。

「そっか、そうだよね」

ママもなにか言いたそうだったものの、考え直したのか話題を変えた。

「涼花は? 今日は、どうだった?」

「ずっとバタフライの練習してた。めっちゃ疲れた」

　はじめはうまく水がかけなくて、なかなか前に進めなかったけれど、少しずつ上達してきた。それにしても、あの泳法は誰がどうやって考えたんだろう。クロールや平泳ぎはわかるけれど、バタフライの独特な手足の動きは、普通なかなか思いつかない気がする。

「バタフライ、しんどそうだよね。ママにはあんなの絶対無理」

　ママはぶるぶると頭を振ってみせた。

「がんばってるよね、涼花も」

　言い足したのは、励ましているつもりなのかもしれない。でも、涼花は別に励ましてほしいわけじゃない。

「おかわり、ちょうだい」

　空っぽになったお茶碗を、ママに向かって突き出した。


　夕食の後でテレビを観たり宿題をしたりしているうちに遅くなってしまって、おばあちゃんに連絡しそこねた。翌日の午前中に、電話をかけた。

「今日、遊びに行ってもいい？」

　涼花がたずねると、おばあちゃんは申し訳なさそうに答えた。

「ごめんね、今日はちょっと。これから出かける予定があってね」

「そっか」

期待はずれの返事に、涼花は思わず暗い声をもらしてしまった。

今日の今日で、都合がつかなくてもしかたないのだけれど、こうしてすげなく断られるのは珍しい。おばあちゃんは日頃から、孫娘が遊びにくるのを歓迎してくれる。たとえ都合の悪い時間帯があったとしても、何時から何時までなら大丈夫よ、と言われるときが多い。急ぎでない用件なら、別の日にずらしてくれることもある。

「悪いけど、また今度にしてくれる？」

「わかった」

電話越しに涼花の落胆（らくたん）が伝わったのか、おばあちゃんは心配そうにたずねた。

「もしかして涼ちゃん、おうちでひとりなの？」

「うん、まあ」

パパは朝からゴルフに行っていて、ママはさっき買いものに出かけた。でも、それは問題ない。もう三年生だし、ひとりで留守番くらいできる。ママも昼までには帰ってくるはずだ。

「おじいちゃんなら、今日は一日うちにいるけどね」

おばあちゃんが言った。

パパやおばあちゃんの話では、おじいちゃんは昔から「会社人間」だったそうだ。長年勤めあげた会社を定年退職した後も、関連企業で十年近く働いていた。三年前に七十歳を迎えて、完全に引退した。

それ以来、涼花がいつ遊びにいっても、ほぼ必ず家にいる。だから厳密にいえば、「今日は一日うちにいる」ではなくて「今日も一日うちにいる」のほうが正しい。仕事以外に趣味もないみたいだし、友達もいなさそうだもんなあ、とパパは気の毒そうに失礼なことを言っている。

「じゃあ、いいや」

涼花は潔く（いさぎよ）あきらめることにした。

おじいちゃんをきらいなわけではないけれど、ふたりきりだとちょっと間がもたない。おじいちゃんは無口すぎるし、共通の話題もない。それなら家でママと過ごしたほうがいい。

「ごめんね」

おばあちゃんはまだすまなそうに謝っている。

「いいよ、こっちこそ、いきなりごめん。また電話する」

ママには、おばあちゃんの都合がつかなくなって、別の日に延期になったと言おう。ミチルのママにはゆうべのうちに連絡を入れてくれていたから、今さらその話にもならないだろう。

「こないだ言ってた、社会の宿題の話を聞かせてほしいの」

「ああ、昔のことを調べるって言ってたやつね？」

「うん。来週とかでもいい？」

「もちろん、いいけど……」

一拍おいてから、「それなら」とおばあちゃんは続けた。

「よかったら、涼ちゃんもおばあちゃんと一緒に来る？」


おばあちゃんの家の前で待ちあわせて、ふたりで駅まで歩いた。晴れていて蒸し暑い。おばあちゃんは日傘をさし、涼花もその影に半分入れてもらった。

おばあちゃんの用事は、古い友達に会うことだった。その友達も市内の出身で、この春に隣の県に引っ越すまで、何十年も暮らしていたそうだ。

「今日は用があってこっちに来るっていうんでね、じゃあお茶でもしようってことになったの」

おばあちゃんは言う。

「顔の広いひとだし、おもしろい話も聞けるかも」

「学校の友達？」

涼花がたずねると、おばあちゃんは首を横に振った。

「昔、一緒に働いてた同僚なの。彼女のほうがふたつ先輩で、親切にいろんなことを教えてくれて」

「じゃあ、そのひとも小学校の先生だったの？」

「そうそう。すごいのよ、定年まで勤めあげて、校長先生になったんだから」

おばあちゃんは得意そうに答えた。

「ずいぶん勉強させてもらったな。あこがれっていうか、ああいう先生になりたいって思ってた」

まあ、それは無理だったんだけども、と声を落として言い添える。

「そもそも、おばあちゃんが先生をやってたのって、ほんの短い間だけだしね」

「短いって、何年くらい？」

「五年……いや、六年かな」

「長いじゃん」

六年といったら、小学校に入学してから卒業するまでにかかる年月だ。めちゃくちゃ長い。六年前、涼花はまだたったの三歳で、保育園にも通っていなかった。その頃の記憶はほとんど残っていない。

「長い？」

おばあちゃんは目をぱちくりさせてから、そうね、と言った。

「涼ちゃんにとっては長いね。今までの人生の、三分の二だもんね」

重大な発見をしたかのように、深くうなずいている。

「そう考えると、正子さんとも長いつきあいになるんだ」

「名前、マサコさんっていうの？」

「そう。正しいに子どもって書いて、正子さん」

おばあちゃんが空中に指で漢字を書いてみせた。

「出会ったのが二十二のときだから、かれこれ半世紀も経つのね。それこそ人生の三分の二以上か」

いやだ、年齢をとるはずだわ、と苦笑している。

「ハンセーキって？」

「一世紀の半分。つまり、五十年」

「五十年？」

変な声が出てしまった。六年だって途方もなく長いのに、五十年なんて、涼花にとっては想像を絶する。

「そんなにびっくりしないでよ」

おばあちゃんが涼花の肩をつついた。

「今は想像もつかないだろうけどね、涼ちゃんだって、いつかはおばあさんになるんだから。あっというまよ」

本気とも冗談ともつかない調子で言って、ほがらかにつけ足した。

「ひょっとしたら、今仲よくしてるお友達と、五十年後もおつきあいが続いてるかもしれないいね」

涼花の頭に浮かんだのは、もちろんミチルの顔だった。

涼花とミチルの「おつきあい」がはじまったのは、おととしのことだ。五十年にはかなわないとはいえ、涼花にしてみれば二年間も決して短くない。

スイミングスクールの体験レッスンで、ふたりは出会った。

その日は、涼花たちと同じ年頃の子どもが、六、七人集まっていた。涼花とミチル以外は、同じ学校の友達どうしで誘いあわせて申しこんだようで、喋ったりふざけあったりしていた。ひとりで参加した涼花は、少し離れたところで所在なげにもじもじしているミチルに、最初から親近感を持った。

話しかけようかと迷っているうちに、レッスンがはじまってしまった。簡単な準備体操をすませた後、コーチに先導され、ぞろぞろとプールサイドに向かった。プールのへりに座って足を水につけるようにと指示されて、みんな従った。

ただひとりを除いては。

「どうしたの？」

コーチの声で、全員が背後を振り向いた。

ミチルは顔をひきつらせ、プールの数メートル手前で立ちすくんでいた。あたふたと駆け寄っていったコーチになだめられても、一歩も動こうとしなかった。今となってはとても信じられない話だけれど、当時のミチルは水を心底こわがっていたのだ。

その様子をちらちらと見ながら、他の子たちは隣どうしでひそひそと耳打ちしあっていた。にやにや笑っている子もいたし、早く泳ぎたいのにな、と聞こえよがしに文句を言ってみせる子もいた。

おびえきっているミチルを小馬鹿にするような彼らの態度を目のあたりにして、涼花はむかむかしてきた。プールにひたしていた足を上げ、腰を浮かせた。

「お友達？」

涼花が近づいていくと、コーチはほっとしたように言った。答えるかわりに、涼花はミチルに手をさしのべた。

「行こ」

ミチルは目をみはっていた。見知らぬ子から突然声をかけられて、びっくりしたようだった。

でも驚いたおかげで、いくらか恐怖がまぎれたのかもしれない。あるいは、途方に暮れるあまり、差し出された手にすがりつくしかなかったのだろうか。理由はさておき、ミチルはおずおずと涼花と手をつないだ。そして、涼花にひっぱられるままに、不安げながらも足を踏み出した。

「大丈夫だよ。こわくない」

自分だってろくに泳げもしないくせに、涼花はミチルに言い聞かせた。ふだんはそこまで面倒見がいい性格でもないのに、どういうわけか、自分がしっかりしなくちゃという気分になっていた。

しっかりして、この子をちゃんと守ってあげなくちゃ。

「コーチが見てくれてるから、溺れたりしないよ」

あたしも見てるし、と言い添えた。ミチルは潤んだ大きな瞳で涼花を見つめて、こっくりとうなずいた。

とはいえ、結局ミチルは最後まで水の中には入れなかった。

足の爪先で、プールの水面にちょんちょんとふれるのがせいいっぱいだった。他の子たちにミチルがからかわれないように、涼花はにらみを利かせていた。シャワーを浴び、更衣室で着替えてロビーに出るまで、ミチルのそばについていた。

ロビーでは、それぞれの母親が娘を待っていた。

「うちの子がご迷惑をおかけしちゃって、すみません」

一部始終を上から見ていたというミチルのママは、涼花にもママにもぺこぺこ頭を下げて詫びた。入会のための書類を保護者たちに配って回っている、スクールの事務員さんにまで。

「どうする？　スイミング、やりたい？」

受けとった用紙をひらひらと振って、ママが涼花に聞いた。

「やりたい」

涼花はすぐに答えた。

「ミチルは？」

ミチルのママも言った。返事は予想した上で、一応かたちばかり聞いてみたというふうだった。涼花も半分あきらめかけていた。

けれどミチルは黙っていた。ためらうように考えこんでいる。涼花は勇気を出して、言ってみた。

「ミチルちゃんも一緒にやらない？」

普通電車は空(す)いていた。

長いシートの端に、涼花とおばあちゃんは並んで腰を下ろした。エアコンががんがんに効いていて、生き返る。

「先生の仕事って、楽しかった？」

涼花は質問してみた。涼花の通う小学校には、楽しそうな先生もいるし、あんまり楽しそうじゃない先生もいる。

「うん。もともと子どもが好きだったし、やりがいがあったな。いろいろ大変なことも多かったけどね」

おばあちゃんが黒板の前に立っているところを想像してみようとしたけれど、うまくいかなかった。おばあちゃんは、おばあちゃんだ。

「なんで辞めちゃったの？」

涼花がなにげなくたずねると、おばあちゃんは顔を曇らせた。

「結婚してしばらくは、続けてたんだけど。だんだん、家のことと仕事の両立が難しくなってきて」

「そっか」

その表情を見れば、きっと仕事を続けたかったんだろうなとわかった。

「少し前に正子さんも結婚してたてね、親身になって励ましてくれた。一緒にがんばろう、協力できることがあったら遠慮（えんりょ）なく言ってちょうだい、って。すごくありがたかったし、心強かった」

でも、と目をふせる。

「やっぱり、どうしても自信がなくて。欲ばって無理しても、どっちも中途半端になっちゃいそうで」

やむなく、おばあちゃんは仕事を辞めることに決めた。

「正子さんには、申し訳ないことしちゃったと思うわ。せっかく目をかけて、あれこれ教えてもらったのに」

声が尻すぼみに小さくなった。どう相槌を打つべきかわからなくなって、涼花はとりあえず話を変えてみた。

「正子さんって、どんなひとなの?」

おばあちゃんの顔つきが、ちょっとほぐれた。

「それは、会ってからのお楽しみ」

十五分ほどで、電車を降りた。急行も停まる、市の中心に位置する駅だ。涼花たちが出口へ向かっていくと、改札の向こうに立っていた小柄なおばあさんが手を振った。

「正子さん」

おばあちゃんがはずんだ声を上げ、にわかに足を速めた。涼花もあわてて後を追いかける。

「こんにちは」

改札を出て、挨拶をかわした。正子さんはラベンダー色のブラウスと、長めの黒いスカートを身につけている。おばあちゃんも、ブラウスに黒っぽい紺色のスカートを合わせているから、なんだかおそろいっぽい。ブラウスのボタンを一番上まできっちりととめているところも、小ぶりの日傘を片手に持っているところも、同じだった。

「シズエさん、おひさしぶり」

正子さんの口にした名前が、涼花の耳には新鮮に響いた。

おばあちゃんがシズエという名前だというのはもちろん知っているけれど、こうして実際に誰かに呼びかけられているところに居あわせるのは、はじめてかもしれない。おばあちゃんのことを、パパは「母さん」、ママは「お義母さん」と呼ぶ。涼花は言うまでもなく「おばあちゃん」で、おじいちゃんは——なんだっけ、思い出せない。用があるときは、「おうい」とか「ちょっと」とか声をかけている気がする。

「正子さんも、お元気そうで」

「ええ。おかげさまで」

正子さんはにっこり笑って、涼花に視線を移した。

「涼花ちゃんね。はじめまして、高村正子です」

おとなを相手にするみたいに、きちんと腰を折っておじぎする。涼花も急いで頭を下げ返した。

「はじめまして」

「お噂は、かねがね。お会いできてうれしいわ」

涼花と目を合わせ、正子さんはにこやかに言った。

かねがね、というのがどういう意味かはわからないものの、文脈からして、涼花の噂を聞いているということだろう。どんな内容かが気になったけれど、正子さんはそれ以上詳しいことは口にせず、おばあちゃんのほうに向き直った。

「いつものところでいい？」

きびきびと言う。

「もちろん」

おばあちゃんが即答した。さすが、五十年来の友達だけあって、ぴったりと息が合っている。

いつものところというのは、駅から程近い、裏路地の喫茶店を指していた。ビルの狭間に無理やりねじこまれたような、間口の狭い建物だった。看板も出ていないので、ここにお店があると知らなければ、気づかずに前を通り過ぎてしまったかもしれない。レンガ色の外壁は蔦でびっしり覆われている。からみあう蔓に無数の葉っぱが茂り、放っておいたら入口のドアまで塞がれてしまいそうだ。

先頭に立った正子さんが、鈍く光るドアノブに手をかけた。からん、とのどかなベルの音が響いた。

店内はひんやりと涼しく、薄暗かった。明るいおもてから入ってきたので、なおさらそう感じるのかもしれない。スツールの並んだカウンター席のほか、テーブルもいくつか置いてある。内装も、外観に負けず劣らず古めかしい。クラシック音楽だろうか、ピアノの曲がひかえめな音量でかかっている。

「いらっしゃいませ」

カウンターの内側で迎えてくれた店員さんは、サンタクロースみたいなあごひげを生やしていた。

「お好きな席にどうぞ」

他にお客さんはいないので、選び放題だ。おばあちゃんたちはどこにしようかと相談するでもなく、迷いのない足どりでカウンターの脇を抜けて、奥の席にまっすぐ向かっていった。

低めの四角いテーブルを挟んで、ふたりがけのソファが左右に置かれている。片方に正子さんが座り、その向かいに涼花とおばあちゃんが並んで腰を下ろした。ソファの革はひびわれていて、お尻を下ろすとずぶずぶと沈んだ。

ふだんパパやママと行くファミレスやファストフードのお店とは、全然雰囲気が違う。涼花がきょろきょろしていたら、

「ここはね、わたしたちが同じ学校で働いていた頃からの行きつけなの」

と正子さんが言った。つまり、半世紀も前から営業しているわけだ。どうりで年季が入っている。

「ほら、あれなんかも、レトロですてきじゃない？」

おばあちゃんがカウンターの後ろの壁を指さした。これまた古そうな、振り子の時計がかかっている。

「古いじゃなくてレトロって言うと、感じがいいわね」

正子さんが感心したようにうなずいたちょうどそのとき、ぼーん、と渋い音が店内に響きわたった。

一、二、三、と涼花は十二まで胸の中で数えた。

正午きっかりだった。大会はすでにはじまっている。ミチルの出番は、もうすぐだろうか。

〈つづく〉

松籟邸の隣人

第二十回

第十七話 鉄路の軋轢

宮本昌孝
Miyamoto Masataka

川が流れる田園の中に、瓦礫の山が散在している。家屋の残骸のようだ。片付けをする者らの姿も、ちらほらと見える。

観音開きの門だったのだろう、倒れかけた太い二本の柱の間で、扉が崩れて半ば重なり合い、その隙間を抜ける風が、ひゅるひゅる、とどこか寂しげな音を立てている。

「ガス燈がない」

「吹き飛ばされたんだろ」

草創期は廃寺を教場としていた耕餘塾が、明治十年（一八七七）の塾舎新築のさい、当時としては横浜や東京以外ではめずらしかったガス燈を門につけたのだ。

茂も広志もここまでの惨状は予想していなかった。

陸奥宗光の死去から二週間余り後の九月八日と九日に、中部、関東、東北が大暴風雨に襲われ、各地に甚大な被害をもたらした。

藤沢の羽鳥村に建つ耕餘塾も、九日夜の嵐によって、別棟の炊事場、浴室なども含め、講堂も寄宿舎も食堂も、学舎のすべてが破壊し尽くされた。

神奈川県下は諸川の増水や道路への倒木などで危険な場所があちこちにみられ、鉄道の線路や鉄橋の点検なども行われたので、茂と広志はすぐには藤沢へ駆けつけられず、ようやくこうして耕餘塾の前に立ったのは、被災から三日後のことである。

「あらかた済んでるみたいだな」

と広志が言った。片付けのことだ。

「建て直せるのかなあ、塾舎」

茂は痛ましげに洩らす。

「吉田くん」

声をかけられ、茂は振り返った。若い娘である。

「憶えてらっしゃらないわね、わたくしのこと。あの頃は、河童みたいな頭だったもの」

娘は、小首を傾げて、鼈甲の櫛と花簪を挿した高島田の髪を触ってみせる。

「あ……三觜のヒサさん」

茂は、はっきり思い出した。

ああ、と広志も頷いたが、こちらの記憶はおぼろげだ。

茂と広志が塾生だった当時、耕餘塾の創始者として知られる十三代・三觜八郎右衛門のもとで行儀見習いをしていたのが、三觜家の分家出身のヒサである。八郎右衛門家の庭で木登りをする茂を、ヒサが見上げたのが、ふたりの出会いだった。八郎右衛門の長男の三觜舜太郎というのが、耕餘塾では生意気だった茂を、自身はとうに卒業していたのに可愛がってくれた先輩であり、このヒサとは従兄妹の関係にある。そのつながりで、茂とヒサも気軽に言葉を交わした。

「思い出して下さって、嬉しいわ」

「舜太郎さんは慶應義塾を卒業後、実業家になったって伝え聞いてるけど」

「塾生の頃から優秀でいらしたもの」

後年、舜太郎は相模鉄道の社長になる。

「その舜太郎さんがよく、吉田くんは頭がよかったと褒めておられますわ」

「ぼくは頭の悪いやつが嫌いだったんだ。それで自分がばかだったら、恰好がつかない」

「仰ることがお変わりないのね」

くすり、とヒサは笑ってから、突然、滔々と歌うように語りだす。

「英国民の自由は鉄騎の自信より生じ、殷富なる合衆国の幸栄はワシントンの自信より生まれたるものなり。嗚呼　自信は人に自由を与へ、性命を恵み、万有の天地の栄華を起す」

鉄騎というのは、清教徒革命において、クロムウェルに率いられ、チャールズ一世の王軍を打ち破った騎兵隊をさす。殷富は、富み栄えて豊かという意である。

「それって、ぼくの……」

茂が熟生時代に書いた作文「自信」である。

前回までのあらすじ

吉田茂は父・健三が亡くなったため、若くして吉田家の当主になる。藤沢の耕餘塾を卒業した茂は、東京に住む実父・竹内綱の屋敷に住み、学生生活を送っていた。夏休みになり、茂は母のいる大磯に戻り、外相・陸奥宗光の許を訪ね、隣人で友人の天人と陸奥宗光夫人・亮子の馴れ初めを聞く。尋常中学校を卒業した茂が再び大磯へ帰ったとき、孤児だった天人がシンプソン家の養子になった経緯が明らかになる。明治三十年（一八九七）、後藤象二郎に続き陸奥宗光が逝って、茂は衝撃を受ける。

「舜太郎さんが幾度もみせるものですから、諳ずることができるようになりましたの。ですから、わたくしのこと、頭の悪いやつだと思わないで下さいまし」

「この遣り込め方は、ヒサさんが頭のよい証拠だね」

ふたりは笑い合った。

のちに、二度の結婚でいずれも妻が若くして病死してしまう舜太郎の、三人目の妻となるのがヒサである。茂と舜太郎・ヒサ夫妻の交流は、昭和の敗戦後に茂が総理大臣になってから再開する。

「それで、この先、八郎右衛門さんは耕餘塾をどう再建されるおつもりなのだろう」

案じていることを、茂はヒサに訊いた。

「被災したばかりのいまは、まだ何か方策を立てる余裕がないのではと察しております」

名声の高い小笠原東陽を初代塾長に招き、教授陣もカリキュラムも充実させて、相州一の高等学府を自負した耕餘塾は、それだけに入塾料も在籍料も高かった。しかし、塾の顔であった東陽亡きあとは次第に入塾希望者が減り、一時は持ち直したものの、政府の教育制度の改革や、東京・横浜の教育機関の進展などもあって、実は日清戦争が始まる頃には経営が火の車となっていた。むろん、いまの茂が知るところではないし、ヒサにしても詳しいことは分からない。

「あのあたりだよな、狐が出た溜池」

と広志が声を張った。茂とヒサの声が沈んだので、横合いから話題を変えたのである。

「ほら、溜池を回り込まないと豆腐屋へ行けなかったから、日暮れ時なんかちょっと怖かったなあ」

寺子屋的な人情の濃かった耕餘塾では、塾生が教師や先輩や賄方から用事を言いつかることもめずらしくなかったので、広志も茂も使いに出されることはしばしばだった。

「狸じゃなかったかしら」

先に応じたのはヒサである。

「狐や狸よりも、怖かったのは狂犬だよ」

茂も思い出話に参加した。

「いちど、追いかけられて、ぼくも田辺くんも、溜池にはまって泥だらけになったじゃないか」

「そうだった、そうだった。吉田くんの袴が食いちぎられて、尻が丸出しになったっけ」

「尻丸出しは、そっちだろ」

「いやいや、吉田くんだね。こんなふうに」

広志は、くるっと茂とヒサに背を向けるや、短袴の裾を思い切り引き上げた。

「きゃっ」

ヒサが両手で顔を被う。

「ばか。やめろって」

怒鳴ったそばから、茂は吹き出してしまう。

被災地に、一瞬、若者たちの明るい笑い声が響き渡った。

三年後の明治三十三年（一九〇〇）八月三十一日、三觜八郎右衛門は、神奈川県知事宛てに「閉校之儀御届」を提出する。

再開できる資金調達の目途が立たなかったことは、耕餘塾閉校の理由というより、きっかけにすぎなかったといえる。

高等な学問も、公権力とは無関係で地域に密着した人間教育と一体でなければならないというのが、小笠原東陽の信念だったが、国家主導によるこれからの新しい学校体系では、その理想はもはや成し得ない。東陽の後継者たちが閉校を決断した真の理由である。

茂は、のちに外務省入りして、ロンドンへ赴任する直前、近々結婚することを報告した八郎右衛門宛ての年賀状の中で、こう記している。

「錦地ハ小生之第二の故郷常ニ仰慕之念ニ不堪」

錦地は、相手の居住地を敬する一語で、風光明媚な美しい土地という意である。耕餘塾と三觜家のあった羽鳥村が第二の故郷というのは、茂の偽らざる思いだったに違いない。


翌日、松籟邸では、朝食を済ませると、士子が話があるというので、茂は新しい書斎で聞くことにした。天人の五色の小石荘に感化されて造った二十五畳の洋間である。

秋隣りの残る暑さに、少し汗ばむほどなので、窓を開け放した。

「あと半月余りで、いよいよ学習院中等科にご編入ですね」

「はい。いまから楽しみです」

かつては華族の子弟に限る学びの場だった学習院も、明治十七年（一八八四）に宮内省所管の官立学校となったのを機に、一般にも門戸を開いた。茂は、学習院院長の近衛篤麿から直々に声をかけられるという僥倖にも恵まれ、来月から四谷区尾張町の同院に通うのだ。

「まだまだ華族のご子弟が学生の大半を占めると聞いております。くれぐれも諍いなど起こしませぬように」

「ぼくはいつも、正しいと思ったことを言うだけです。誰にも媚び諂いません」

「媚び諂えと申したのではありませぬ。喧嘩をなさいますな、と申しているのです」

「お約束できかねます。世の中には理不尽な輩もおりますから」

「母の切なる願いですよ」

「申し訳ないことです」

　悪びれるようすもなく、ぺこりと頭を下げる茂である。

　茂の視線が外れた一瞬、相好を崩した士子だが、頭を起こした息子と再び目が合ったときには、真顔に戻っている。

「分かりました。そのことについては、もう何も申しませぬ」

「ありがとうございます」

「それで、西ヶ原へのご訪問は、学期が始まる前になさるのですか」

「いいえ。埋葬がお済みになるまでは遠慮します」

「わたくしも、そうなさるのがよいと思うておりました」

　夫の陸奥宗光を亡くした亮子はいま、東京府北豊島郡の西ヶ原の陸奥屋敷にいる。

　葬儀は八月二十八日に浅草海禅寺で行われたが、陸奥家の墓所は大阪の夕陽岡にあって、そこに埋葬されるのが十一月二十八日の予定なのだ。

　埋葬が済んで初めて、亮子も一区切りではないか。弔問はその後にすべき、と茂は斟酌したのだ。

(天人はもう訪ねたのかな……)

　まだ本人にたしかめていないが、天人のことだから、ひそかに訪ねたのでは、と察している。

「母上は、陸奥夫人がこれからも大磯へおみえになることがあるとお思いですか」

「聴漁荘のことなら、古河家へお譲りになられるそうです」

「まことですか」

「幸八どのより伺いました」

　士子の姉婿で、茂にとっては後見人の上郎幸八は、不動産を手広く扱い、大磯にも何ヶ所もの土地を持っているので、こうしたことは事情通なのだ。

　東小磯に建つ陸奥家の別荘が聴漁荘であり、宗光の二男の潤吉は鉱山王・古河市兵衛の養嗣子となっている。

「他人にお譲りになるのではないのです。ご令息の御家の別荘となるのですから、亮子さまも喪が明ければ、大磯でご静養なさることもおありやもしれませぬね」

「だとよいのですが……」

　落胆の思いを完全には拭えないものの、一縷の望みはある、と心中で自身に言い聞かせる茂だった。

「母上。お話というのは、これでお済みでしょうか」

きょうは広志と川釣りに行く約束をしている。学習院通いの生活にある程度慣れるまでは、休日も東京に留まるつもりなので、この九月いっぱいは大磯の日々を満喫しておきたいのだ。

「話はこれからです」

と士子は言った。

「えっ……」

茂は、自身のこの反応はまずいとすぐに気づいたが、後の祭りである。

「母と過ごすのがお嫌なのですね」

「嫌じゃありません、滅相もない。過ごしたいです、ずっと、ずっと、ずうっと」

「茂さん」

士子の声音が、剣呑なものになった。

「ご無礼仕る」

ドア越しにかけられた声は、執事の北条のものである。

(助かった)

茂は、急ぎ、みずから立って、ドアを開けた。

「若様……」

北条が驚く。

「何か用があるんだろ。言ってくれ、早く」

「シンプソンどのがおみえにござる。ジャックさんの作った梨のパイをお届け下さりまして」

「母上のお好きなものじゃないか。すぐに上がってもらいなさい。ね、母上」

茂が士子を振り返ると、そこには早くも機嫌を直した顔があった。

シンプソン家の料理人であるジャックは、様々な洋菓子を作ってくれる。それを松籟邸へ届けるのは、本人でない場合がめずらしくないのだ。天人も気軽にやってくる。

茂の言ったとおり、ジャック特製の果物のパイは士子の好物である。

「薄雪を」

士子が、乱れてもいない着物の衿を直しながら、北条へ命じた。薄雪は、最高級緑茶の玉露の銘柄のひとつである。

「exceeding beauty。refined」

溜め息まじりに、天人が評した。

「なんて仰ったの、シンプソンどのは」

と士子が茂に邦訳を促す。

「尋常でない美しさ、そして優雅である、と」

「まあ……」

赧めた頬を、士子は両手で押さえた。

(血道に障らないのかなあ……)

なかば本気で案じる茂である。

女性特有の病気の総称を血道、あるいは血病といい、血行不良から起こるめまい、のぼせ、頭痛、精神不安などをさす。喜びとはいえ、昂奮しすぎるのもよくない。

書斎では、なぜか看護婦ふたり、女中ふたりも、士子の後ろに控えている。病弱なあるじの体を案じるにしても、いま四人もそばにいる必要はない。女たちは皆、天人を眺めていたいだけなのだ。

天人が賛辞を送ったのは、写真の乙女である。琴を弾く娘時代の士子だ。

茂も初めて見る写真帖で、わずか数葉ではある。撮影代がきわめて高く、手間がかかって早撮りもできない上に、失敗も多かった湿板写真時代のものであることは間違いない。一葉を除き、被写体はうら若き士子ばかりだ。

その一葉に、士子とともに吉田健三が写っている。婚礼時の姿なのだ。

「母上。なぜ今日までお見せ下さらなかったのですか」

「本当は、あと三、四年先に見せるつもりでおりました。お父上がわたくしを娶られた年齢に、茂さんも達せられる頃です」

健三は二十三歳で士子と結婚した。

「ぼくはあと幾日かすれば誕生日を迎えますが、それでもまだ満十九歳です。早められたのはなぜですか」

「茂さんは学習院を学生として終の学舎と思い決め、将来への道筋もみえてきたようですから、ここに十代最後の姿を収めておきたくなったのです。正服姿の茂さんを」

日本初の学校制服を採用したのは学習院であり、夏は白の開襟シャツ、冬は紺の詰襟を「正服」と称した。茂もすでに支給されている。

当時の学習院の学生は、エリート中のエリートで、羨望の的であると同時に、大変な尊敬もうけた。正服を着て歩けば、往来の人々から、ありがたいものを拝するように、深々と辞儀をされるほどだったのだ。

「茂さんは来月、東京へ行ってしまわれますから、その前に」

付け加えてから、士子は天人を見やった。

「ファミリーの節目節目に、記念の写真を撮るのは素晴らしいことです」

天人は、茂の肩に手を置き、微笑んだ。

「それなら、松本先生にお願いしましょう」

茂も乗り気になる。

松本順は、幕末に長崎の医学伝習所で、オランダ人医師ポンペに師事したさい、写真の研究も行った。手探りの研究だったので、あまり成果は上がらなかったが、以後、写真への興味は尽きず、いまも最新の写真機を所有している。

「松本先生なら、快くお引き受け下さると拝察いたしますが、この写真帖に綴じるのは同じ写真師に撮っていただいたものときめております」

「その写真師というのは、どなたでしょう」

「下岡蓮杖どの」

「しもおかれんじょう、ですか」

茂は、初めて聞く名である。

「若様も、上野彦馬という名は耳にされたことがおありかと存ずる」

ドアの近くに立つ北条が、初めて口を開いた。

「知ってるさ。長崎で本朝初の写真師となったひとじゃないか。幕末・維新の英雄たちや、西南戦争や、それから金星の写真まで、本当に有名だからね。松本先生もお会いになってるはずだよ」

「その上野彦馬どのと並び称された写真師が、下岡蓮杖、西の上野彦馬、と」

伊豆の下田出身で、狩野派の絵師だった蓮杖は、初代駐日アメリカ総領事ハリスの通詞として下田に来港したヒュースケンの現地妻・福の幼なじみだった。その伝でヒュースケンから写真というものを教わる。この西洋の新技術を本格的に学ぶべく、新開地の横浜へ出ると、来日中のアメリカ人職業写真師ウィルソンと知己を得た。専門家より技術を授かるや、横浜の野毛に野外写場を開業したのが、文久二年（一八六二）。奇しくも、上野彦馬が長崎の自邸の庭で野外写場を創めたのと同年のことである。したがって、日本初の職業写真師は、彦馬と蓮杖、両人といわねばならない。

国際貿易港に成長してゆく横浜を本拠としたことで、幕末から明治初年にかけては、むしろ蓮杖のほうが彦馬より盛名を謳われ、自身の経営する写真館「全楽堂」の土産写真は海外にまで知られた。慶応三年（一八六七）には横浜太田町に豪華な写真館を新築し、掛け値なしに千客万来という驚異的大繁昌を呈するに至る。

しかし、大きな利益を得られる新職業の写真館が乱立し、新世代の若き写真師たちが最新の技術で客を招ぶようになると、もともと彦馬ほどに理化学の知識を持たない蓮杖は、業界の趨勢についてゆけなくなった。莫大な財産を本業以外の事業に注ぎ込んで、悉く失敗してしまったことも、没落を加速させた。

横浜での信用を失った蓮杖は、明治九年（一八七六）に東京の浅草公園地へ居を移して、写真館を新規開業したものの、仕事は門人たちに委ね、自身は再び絵筆を執って写真の背景画に専念し、次第に世間から忘れ去られてゆく。写真師ひとすじで、業界の大御所的立場を得た上野彦馬とは対照的といえよう。

右のことを、北条は茂に語って聞かせた。

「では、そのひとはもう写真を撮っていないということではないのですか」

茂が士子にたしかめる。

「蓮杖どのに婚礼の写真を撮っていただくさい、わたくしはお願いしたのです」

その一葉を、士子は手にとった。

「いずれわたくしたちの子も写してほしい、と。蓮杖どのは、必ず、と約束して下さいました。憶えておいでだと信じております」

「それなら、北条に浅草まで招びにいかせましょう」

「蓮杖どのはいま、下田におられるようなのです」

実は、先月、士子は浅草の蓮杖の写真館宛てに、子細を記した書状を送っている。ところが、なかなか返信がないので、もしや何かの手違いで自分の書状が届かなかったのではと疑い、再度送った。すると、蓮杖の門人から返信がきた。

門人は、士子の最初の書状を下田に滞在中の蓮杖へ転送し、その指示を待ったのだが、何の音沙汰もないと案じていたところ、士子の二度目の書状が届いたので、急ぎ返信をしたためた。

とうに七十歳を超えて、生まれ故郷の風景をできる限り絵に遺しておきたいというのが、蓮杖の下田行きの目的である。門人の察するところでは、絵に没頭するあまり、あるいは蓮杖は手紙を開封すらしていないのかもしれない。といって、たとえ身内であっても、何者の訪問もうけつけない、と東京を発つときの師匠から釘を刺されているので、門人はようすを見にいくこともできかねるのだという。

「頑迷、狷介なご老人のようですね」

話を聞いた限りでは、蓮杖の印象が悪いので、つい口に出してしまった茂だが、

「会ってもいないうちから、そのようにきめつけてはいけませぬ」

と士子に窘められ、慌てて居住まいを正す。

「ですから、茂さん」

そう言ってから、士子は北条に目配せした。

いつ用意したものなのか、北条は畳まれてある袱紗を士子へ手渡す。

士子が袱紗を披くと、一通の封書が現われた。

「このわたくしの書状を、蓮杖どのに届け、写真を撮るのをご承諾いただき、大磯

へお連れなされませ」

「誰かを下田へ遣るということでしょうか」

「誰かではありませぬ。茂さんです」

「えっ……。ぼくに行けと仰せですか」

「撮っていただくのは、茂さん、あなたです。みずからお願いしにいくのが礼儀ではありませぬか」

「だって、下田ですよ」

伊豆の南端である。遠い。

「国府津から馬車鉄道で小田原まで、そこから人車鉄道で熱海へまいり、網代で汽船に乗ればよいだけのこと。近くなったものです」

「そんな、母上……ご自身が往かれたこともないのに」

「よもや、怖いとでも」

「怖いです」

士子の語尾へ被せ気味に、茂は言った。

「汽船はともかく、馬車鉄道と人車鉄道は怖いです」

「さようですか。では、母がまいりましょう」

「それは、ず……」

ずるい、と言いそうになって、茂は呑み込んだ。心と口は恐ろしく達者でも、体の虚弱な士子に旅をさせられるわけがない。

「考え直します」

この期に及んでなお、たしかな返答をしかねる茂だった。

「本当に怖いや否やは経験してみなければ分からない。机上で識るだけでは、まことの学問とは申せぬ。さようにお考え直したのですね。ご立派です」

そんなことは一言も告げていない茂だが、士子の次の言葉には、もはや黙るほかなかった。

「さすが、十代の頃に軍艦へ潜り込んで英国まで密航し、のちに商いで大成功を収めた吉田健三のお子です」

たかが下田行きの引き合いに出すのは壮大すぎる武勇伝だが、渋沢栄一曰く「冒険心の旺盛なひとだった」亡父・健三の名は、茂には効くのだ。

「士子さん」

天人が健三と士子の婚礼写真を手にとった。

「これほど見事な写真を撮られた方に、わたしも早くお目にかかりたい。お許しいただけるのなら、茂に同道したい」

地獄に仏とは、このことだろう。茂は、拝むようにして、天人の腕を摑んだ。

大磯から西へ一駅で、国府津。

東海道鉄道は、ここから酒匂川沿いに北西へ転じ、山北から御殿場を回り込んで、沼津へと南下する。後年の御殿場線のルートである。

旧東海道の中でも繁華な宿だった小田原や、湯治場として賑わった箱根・熱海方面を置き去りにしたのは、天下の険たる箱根山に陸蒸気の鉄道を敷くのが、当時の土木技術と予算では不可能だったからだ。町が寂れることを恐れた小田原、箱根の人々は、地元の有志の出資により小田原馬車鉄道（のち小田原電気鉄道）を設立し、旧東海道とほぼ同じルートの国府津から箱根の湯本まで、馬車を走らせる鉄路の敷設に着手した。東海道鉄道の横浜―国府津間が開通した翌年の明治二十一年（一八八八）のことである。

馬車鉄道、略して馬車鉄というのは、文字通り、レール上に置かれた車両を馬が曳いて走るもので、さして速くはない。だが、日本の道は未舗装で悪路だらけの時代である。馬車や人力車より乗り心地が良いことから、人口の多い都市部では、運賃も安価で、庶民の乗物としてすでに定着し始めてもいた。

国府津―湯本間の全長約十三キロメートルの馬車鉄は、しかし沿線の馬車営業者や人力車夫たちから、仕事を奪われる、と猛反対された。

かれらは並木伐採、道路拡張、家屋移転、鉄路敷設などの工事現場を白昼公然と見境なく襲撃し、金尽くの無頼漢を送り込むことさえ辞さなかった。剰え、小田原馬車鉄道の本社や重役の私邸にまで殴り込んだ。徹底的な妨害である。そのどさくさに紛れ、反対派のふりをして、強盗を働く者らもいた。

小田原馬車鉄道は、警察に保護を請願し、巡査を派遣してもらったが、そこは官営の東海道鉄道のようにはいかない。警察も民間の事業の揉め事への介入を躊躇ったので、なんとか開業に漕ぎつけたあとも妨害は熄まなかった。

状況が好転し始めるのは、明治二十三年（一八九〇）十月、小田原の御幸の浜に、伊藤博文が別邸・滄浪閣を建ててからだった。

伊藤は、当時の神奈川県知事に、小田原馬車鉄道の事業の保護と、暴漢の取締強化を求めた。伊藤自身にしても、東京との行き帰りに危険な目にあわないとも限らないし、滄浪閣を訪問してくる名士たちにも同じことが言えたからだ。

小田原馬車鉄道は、神奈川県警の警部を社長に迎え、社員にも警察官を採用して、暴漢鎮圧に臨んだ。以後は、年々、妨害工作も数が減り、そのやり方も過激なものは失せてゆく。

それでも安全が確かに保証されたとは言い難いので、小田原、箱根への行楽客はともかく、東京や横浜から滄浪閣に詣でる名士たちの中には、乗り心地が悪くても馬車や人力車を使う者は少なくなかった。

こうしたことが、伊藤博文の小田原住まいに対し、ただ遠くて何かと不便というだけではない不満を、伊藤の関係者たちに抱かせた理由でもある。

茂が昨日、下田行きを命じる士子に向かって、馬車鉄は怖いと言ったのも、そういう経緯を伝え聞いていたからだった。

「まあ、想像してたほど悪くはないけど……」

国府津駅で、東海道鉄道から小田原馬車鉄道に乗り換えた茂は、乗り込んだ車内を見回しながら言った。狭いが、左右の窓を背にした対い合いの座席は布張りである。

「貸切車だからさ」

と言ったのは、小田原に親戚がいて、この馬車鉄道に乗車経験のある広志だ。茂に付き合わされた。

客車には上等・中等・下等のほかに、貸切もあるのだ。運賃は高くなるのだが、陸蒸気でも上等車に乗るのが常の茂だけに、贅沢とは思っていない。

天井には、上手とは言えないものの、鳥の画なども描かれている。

「絵は毎年、変えるみたいだよ」

天井を指さしながら、また広志が説いた。

「今年は酉年だから」

「そうなんだ。いずれやってくる外国人向けだね、きっと」

再来年の七月十七日からは、外国人も日本国内を自由に往来できる。

「中等車ぐらいでよかったんだけどなあ……」

窓外に顔を出した広志が、ほかの車両を見やりながらそう洩らしたので、茂は聞き咎める。

「中等、下等の座席は板敷なんだろ」

「そういうことじゃなくて、貸切車や上等車のほうが今風魔に狙われやすいんだ」

「どうして」

「そりゃそうさ、金持ちが乗るんだから」

「田辺くん。それ、切符買う前に言えよ」

「まあ、おれたちには、なんだっけ、あの……そう、ボデガドがついてるから」

広志は、もうひとりの同乗者に向かって、拳を作ってみせる。

「ボディガードだよ」

茂が正しく発音した。護衛や用心棒のことである。

腰のあたりでちょっとだけ手を挙げて応える天人だった。

伊藤博文が昨年の十一月に滄浪閣を大磯へ移してしまってから、実は小田原馬車鉄道が盗賊に襲われる事件が徐々に増え始めたのだ。小田原在住というだけで沿道の犯罪の抑止力になっていた伊藤の大磯への転居が、不逞の輩の悪心を復活させたに違いない。

盗賊は、二人以上で、ピストルで威しながら手早く金品を奪って去って行く。手向かう相手は躊躇わずに撃つ。まだ死者が出ていないのが不幸中の幸いといわれている。

被害者、目撃者が大勢いても、盗賊の正体は不明である。目以外は頭も顔も隠す目計頭巾を着けているためだ。目計頭巾は強盗頭巾ともいう。

この盗賊に地元紙の記者が付けた名こそ〝今風魔〟である。

戦国時代、箱根を根城とする忍びの風魔衆は、小田原北条氏に仕えて暗躍した。北条氏が豊臣秀吉に滅ぼされたあとは、盗賊集団に堕して、徳川の本拠の江戸を席巻したという。

「今風魔は、馬車、人力車の連中だって、警察は疑ってるみたいだけど、おれもそう思うな」

と広志が言った。

「どうかな。馬車鉄を襲ったら真っ先に疑われるって、そのひとたちだって思い至るはずだよ。そんな分かりやすいことしないだろ」

かつて馬車鉄に猛反対した馬車営業者や人力車夫らも、廃業に追い込まれた者もいたが、多くはいまでは共存の道を歩んでいる。そう茂は聞いていた。

ラッパが鳴った。間近である。

茂らの貸切車の馭者台と、車両の前面部に突き出すステップに、それぞれひとりずつ身を移してきた。馭者と車掌である。乗客は何か用事があれば、車掌に申しつけるのだ。

さらに、もうひとり、ステップに乗った。ライフル持参の小田原馬車鉄道の社員だ。元警察官だというが、どうみても老齢である。

「役に立つのかな、あのひと」

茂が広志の耳に囁いた。乗客が少なく、どの車両にも名士は乗っていないとみて、警備を緩めたとしか思われないのだ。

貸切車のあとに、中等車一両、下等車二両が続くが、いずれも満席ではない。学生たちの夏休みが終わってまだ半月ほどであり、秋の紅葉は二ヶ月後ぐらいだから、小田原、箱根への行楽客は少ない時季である。

「今風魔もこんな天気のいい日に襲ってきやしないさ」

茂を脅かすようなことを言っておきながら、結局は暢気な広志だった。

茂たちは、大磯から本日最初の下り列車で国府津に着いている。この国府津発・湯本行きの馬車鉄も午前八時五十五分の始発だ。

天高く、相模の海を遠くまで見晴らせる秋日和である。空気も澄んでいる。確かに、盗賊をその気にさせる天候ではなさそうだ、と茂も思い直した。

(たった四十分でもあるし……)

途次で替え馬をすることもなく順調に進めば、四十分で小田原に着く。湯本までなら一時間二十分である。

とはいえ、馬にとっては激務。途中で倒れることもめずらしくないので、馭者は馬のようすをみながら走らせねばならない。疲労が濃ければ、ルートに幾つか設けられている厩舎に待機中の馬と替える。

(それでも一時間ぐらいか)

客車を曳く馬は、蹄鉄を踏み鳴らし、幾度か糞尿を垂らしながら、順調な足取りで進んだ。時速八キロから十キロ程度といったところか。

「蹄鉄と糞尿は線路を傷めるから、馬車鉄の会社も悩みの種らしい」

と広志が言ったので、茂は笑いを怺える。添田辰五郎を手伝って薬用サフラン事業を始めようという、広志のにわかビジネスマンの顔がのぞいたと思えたのだ。

酒匂村に入ったところで、馬車鉄は停まった。

「レールの溝が詰まっているようなので、掻きだすまで、しばしお待ちを」

ステップから振り返った車掌が、停止の理由を説明した。よくあることである。

会社も日々のレール清掃を怠らないが、それでもちょっと風が吹けば、飛ばされてきた塵芥が溝に嵌まるのは避け難い。とくに国府津―小田原間は、海が近いため、浜砂も運ばれてくる。車両は背が高くて、幅が狭いから、それだけでも不安定なのに、塵芥や砂で詰まったレールから車輪が少しでも浮けば、脱輪の危険があるのだ。

広志が席を立った。天人も立っている。

「どこ行くの、ふたりとも」

茂は訝る。

「客も手伝うのさ」

広志がそう言うので、茂は窓から顔を出して、後方を見やった。中等車、下等車の乗客たちがぞろぞろと降車を始めているではないか。

「そのままでいいよ」

立とうとした茂を、広志が制した。

「上等と貸切の客は眺めてるのが当たり前だから。吉田くんは若様だし」

「こんなときに若様って言うな」

茂も降車し、広志と天人とともに、レール清掃作業に参加した。

「姿のよい松ですね」

手を動かしながら、天人が近くに見える松の木のことを言った。二本だ。

「あれは強盗松(ごうとうまつ)にございます」

天人に満面の笑(え)みをみせたのは、乗客のひとりの中年増(ちゅうどしま)である。

このあたりでは江戸時代まで追剝(おいはぎ)が多かったので、松にまでそんな不名誉な名が付けられた、と中年増は説明した。

「物騒(ぶっそう)なところで停まったんだな」

鳥肌(とりはだ)の立った茂は、思わず周辺を見回している。今風魔の襲撃を恐れたのだ。

「手を挙げろ」

背中に何かを突きつけられ、茂はひゃあっと跳(と)び上がってから振り向く。

けっけっと笑う広志がいた。

「ううう……」

怒りの唸(うな)りを発した茂は、レールから掻きだしたばかりの砂を広志に投げつけた。

「こんどは、これに乗るんだ……」

小田原駅で茫然(ぼうぜん)とする茂だった。

目の前の車輪付きの木箱は、長さ三・三メートルばかり、高さ二メートル余、幅は一・五メートルにも満たないだろう。小田原と温泉地の熱海を繋ぐ全長二十五・六キロメートル、豆相人車鉄道の客車である。

人車鉄道とは、その名称のとおりで、レール上の車両を人が押して進む。重量三・六トンほどの車両に六人から八人の客を乗せ、「押し屋」と称ばれる車夫が少なくとも二、三人掛かりで押すのだ。

何も支障をきたさなければ、通常、四時間の行程である。前時代の駕籠に比して二時間ばかり速いものの、馬車鉄よりは遅い。馬車鉄を可能にするだけの採算がとれないという判断から、人車鉄道にせざるをえなかったのだ。

「まあ、一等車だから、中はきれいなんじゃないか」

豆相人車鉄道の熱海―小田原間は昨年三月に開通したばかりなので、広志も乗るのは初めてである。

茂と広志と天人は、一等車に乗り込んだ。

のちに外国人客が増えると、一等車内は西陣織などを用いて豪華なものになるが、この頃は望むべくもない。中は、小ぎれいでも、馬車鉄のそれが恋しくなるほどの狭さで、ひどく割高だ、と茂はさらに落胆した。おもに車夫の人件費が嵩む人車鉄道は、馬車鉄よりはるかに乗車賃が高いのだ。

押し屋たちが、ラッパを吹き鳴らし、茂たちの乗る一等車の後部へ回り込む。出発するようだ。

「ぼくたちだけですか」

窓から顔を出して、茂は訊いた。ほかの車両とその周辺に客が見当たらない。

「熱海への湯治客の多いときは六両は列（つら）ねるんでございますが、いまは暇（ひま）な時季で」

「そうですか。では、やって下さい」

「へい。中では、お立ちにならないよう願います。坂と曲がりが多いんで、転（ころ）びやすいですから」

レールは、平坦（へいたん）なところが皆無（かいむ）に等しい丘陵地帯の海沿いに敷設されており、坂道とカーブの連続なのだ。一等車の茂らは事前に告げられていないが、実は上りの急坂では、二等車の乗客は降りて歩き、三等車の乗客は車夫を手伝って車両を押すのが、定（き）め事といってよい。

一等車両が動きだした途端、安定性のないのが分かった。車幅のわりに高さがありすぎるのだ。

「レールもなんとなく粗雑（そざつ）だったよ」

茂が案じると、

「おいおい、どこかで脱線するんじゃないか」

さしも暢気な広志も、ちょっとおもてを引き攣（つ）らせた。

「茂も広志もわたしも、面白い体験ができています。士子さんのおかげです」

ひとり天人だけが、常と変わらない。

「今風魔に襲われなかっただけ、ましだよな」

おのれを落ち着かせるように、広志が言った。

国府津―小田原間の馬車鉄では、恐れていた今風魔の襲撃をうけることはなく、ライフルを持った老齢の社員の、おそらく危なっかしい奮闘も見ずに済んだ。

小田原駅を出た人車は、市街の家々の間を抜けると、石橋山の麓を辿ってゆく。ほぼ上り坂ばかりで、鰤漁で知られる米神の駅に着いた。押し屋たちは汗びっしょりである。

米神駅からは一転、下り坂なので、押し屋たちも、車両の前後に付けられているステップに乗り込み、ブレーキをかけながら下った。

それでも、思いの外に速く、車両は車輪を激しく軋ませながら、揺れに揺れた。

左の車窓から見える松林が、後方へ飛んでゆく。その松林越しに見える懸崖は、白波の打ち寄せる海に直結している。脱線でもしたら、人車ごと松林を突き破って海へ転落するのではないか。

茂たちは知らないが、この松林は、脱線のめずらしくない人車が海へ落ちないための防止林なのである。

「人殺しいっ」

広志が茂の手を握って叫んだ。

「今風魔に襲われたほうが、ましだあっ」

もし茂と広志が後年の遊園地のジェットコースターに乗っても、たいしたことないと一笑に付すだろう。

なんとか脱線せずに、次の根府川駅へ達すると、ここからは急な上り坂になる。豆相人車鉄道の最大の難所である。二等車、三等車なら、茂たちも車内に収まってはいられないところだ。

押し屋たちが肩を喘がせつづけて、上りきったところに駅はないが、豊臣秀吉ゆかりの天正庵という名称の地である。小田原攻めのとき茶室を設けたといわれる場所だ。

ここから集落へ入って、江之浦駅。さらに進んで、この鉄道路線で最も高い標高へ行き着いた。

「ここからまた、下り坂ですか」

茂は押し屋たちに確かめた。

「へい。この下りを凌いで坂口へ達すれば、あとはさしたる難所はございません」

「凌いで、って……」

茂は、唐突に『平家物語』の一節を思い出した。

（或時は漫々たる大海に、風波の難を凌ぎ、身を海底に沈めんことを痛まずして、骸を鯨鯢の鰓に懸く）

とにかく、途方もない危難を乗り越えることが、凌ぐ、ではないのか。

銃声が轟いたのは、押し屋のひとりが、ほんのわずかに下り坂のところでかけていたブレーキを、外したときである。

右方の藪の中から、三人が躍り出てきた。いずれも目計頭巾を着けている。

「今風魔だ」

車窓に寄っていた広志が言った。

その奥衿を後ろから摑んだ天人が、広志の体を窓から離れさせる。

「茂も広志も伏せていなさい。やつらが入ってきても、決して抵抗してはいけません」

「分かった」

「うん」

ふたりの返辞を聞くや、天人は車両の左側の窓枠のひとつに手をかけ、おのが体をするりと外へ出した。

この間に、賊の三人は、押し屋たちを車両から退かせている。

ピストルを持った悪漢、いわばガンマンはひとりである。最初の一発は威嚇射撃だったようだ。

ガンマンが、車両を背にして、押し屋たちを制している間に、あとのふたりは前の出入口から車内へ押し入った。

「なんだ、がきがふたりか」

「がきでも一等車に乗るくらいだ。銭は持ってるだろう」

突っ伏している茂と広志に、今風魔のふたりが手をかけようとしたとき、その背後から天人が飛び込んできた。いったん車両の屋根へ身を移してから、出入口の上まで這い進んでいたのだ。

天人は、ひとりの脇腹へ後ろから強烈なパンチを見舞うと、その体を出入口より放り出した。

振り返ったもうひとりには、顎へ右フックを食らわせ、白目を剥いて頽れかけた相手を抱きかかえてから、出入口に立たせて、胸を蹴った。

異変に気づいたガンマンが振り向いたときには、仲間ふたりは地に転がっていて、車両はゆっくり動き出していた。

天人と茂と広志は、車両から降りようとして、銃撃され、中へ戻る。

ガンマンは、走り寄りながら、出入口へ狙いを定め、また撃った。

「伏せなさい」

天人は、みずからも伏せながら、茂と広志の頭を抱え込む。

なおも銃弾は飛んでくる。

ガンマンが撃ち尽くしたとき、車両には恐ろしく加速がついていた。下りの急坂に乗り入れてしまったのだ。

車両が弾んだ。

「うわあっ」

「ひゃっ」

茂と広志の体も浮き上がり、一瞬後には床へ落ち、腹を打った。

「ふたりとも、左右に分かれて、窓枠につかまりなさい」

何かにつかまらせるのは安全のためで、ふたりを左右に分かつのは片方に重量を偏らせないためである。

茂も広志も即座に従った。天人を信じているのだ。

天人は、後部の出入口よりステップへ出て、ブレーキの金棒を少しずつ動かしてゆく。急停止すれば脱線を起こすだけだ。

悲鳴のような金属音を発しながら軋む車輪とレールの間から火花が飛び散る。

茂と広志は、恐怖と風圧の痛さに目を開けることさえできない。

「天人おっ、助けてえっ」

脳天を突き破るような茂の願いの声が、青空へ吸い込まれた。

そして、しばらく後、三人を乗せた一等車は、無事、坂口駅へ到着していた。のちの真鶴駅である。

かれらが坂口駅で豆相人車鉄道の職員に事情を説明している頃、押し屋たちが、今風魔の三人を縛りあげて引っ立て、徒歩でレール伝いにやってきた。

押し屋たちは、自分らが乗客を守れなかった不甲斐なさを恥じ、同時に天人の勇敢な行動を褒め讃えた。これを受けて、職員も、警察には天人らの聴取を後日にしてもらうよう頼むので、いまは早々に目的地まで送り届けたいと申し出た。

今風魔の三人が実は戦国期の風魔一族の本当の末裔だったと知れるのは、かれらが小田原警察署に連行されて自白してからである。代々、泥棒を生業としてきたらしい。

茂らは、別の車両に乗って、坂口から吉浜、門川と繋いで、まだ日の高いうちに終着駅の熱海へと到着した。

「こんな凄い冒険、初めてだ。楽しかったあ」

最初から望んでいたことのように、広志が晴々とした顔をみせた。

「現金だなあ、田辺くんは」

ちょっと呆れた茂だが、自分もまだ昂奮している。

あとは網代から、東京湾汽船の伊豆航路の船に乗れば、下田へ着ける。

「下田まで行く必要はなさそうです」

網代港で、天人がそのひとを見つけた。

おのれの身長よりも長い杖を持った老人である。

下岡蓮杖は唐桑の古木に蓮の花を彫刻した長尺の杖を愛用している。その杖を、まわりの者が「蓮杖」と称んだので、本人も気に入って号に用いたという。これは、昨日、松本順から仕入れた情報である。

「下岡蓮杖どのでしょうか」

茂が訊ねた。

「そうじゃが、お若いひとはどなたかの」

茂は、士子より預かった書状を懐から取り出して名乗った。

「吉田茂と申します」

「おお。きみが士子さんの……」

「では、母の前の書状は届いていたのですね」

「これから大磯へまいるところじゃ。浅草の弟子らにも、大磯へ機材を持ってまいるよう書状にて命じておいた」

「ありがとうございます」

「そちらは……」

蓮杖が天人を見やって、なぜか、ほうっと溜め息をついた。

「徳は孤ならず必ず隣あり、じゃな。その風姿、本気で写真に収めたいおひとに何十年ぶりかで出会うた」

茂には蓮杖の最初の言葉の意が分かる。

徳あるひと、またはその行為は、決して孤立せず、感化をうけて追慕するひとを生み出す。道義を行う者には理解者と協力者が必ず集まる、ということだ。『論語』である。

まさに天人のことだと思う。きょうも茂と広志ばかりか、人車の押し屋たちの命も救う徳ある行為をし、皆に尊敬されている。

当の天人は、戸惑い気味の微笑を茂へ向けるばかりだった。

蓮杖が茂の学習院の正服姿を撮るにあたっては、皆の笑顔の弾けるすったもんだが起こることになるが、まだ誰も知らない。

「さて、今夜は熱海の湯に浸かろうではないか。大磯行きは明日じゃ」

空にうっすらと月のかかる港の夕景の中、先に立って歩きだした蓮杖は、何やら愉快そうである。

〈第十七話　了〉

推し本、語ります ❻

怒ることは馬鹿げてる⁉

上田航平（お笑い芸人）

今回紹介する『怒らないこと』を初めて読んだのは数年前のこと。当時、コンビを組んでいた相方がすごく怒りっぽい人だったんです。いつもイライラしている彼に何かできないかと思って、書店でこの本を見つけてプレゼントしたら、当たり前ですけどすごく怒られて（笑）。代わりに自分で読んでみたのがきっかけでした。悩んでいた僕には、この本の考え方がすとんと腑に落ちましたね。以来、「アメトーーク！」の読書芸人回でも紹介しましたし、二巻が出るときには著者で僧侶のスマナサーラさんと対談をさせてもらいました。人生における大切な一冊です。

僧侶の方が書いた「怒らない」ための本と聞くと、相手に対する慈しみを持ちましょうとか、そういうノウハウを優しく諭してくれる感じかなと思うでしょう？『怒らないこと』は終始、「怒ることがいかに馬鹿げているか」をロジカルに説いている本で、そこがとても良かったです。

そもそも人間は完全な生き物ではないので、他人の間違いを正そうとする行為がまず無駄。怒っている時間は正常な判断もできないし、自分にとってマイナスでしかない……。こんな感じで、いかに瞬間的に怒りを爆発させる行為が無意味か、ズバッと書かれていて、正直全然優しくない（笑）。とにかく怒りは無駄、無駄だから必要がないと取り付く島もないんです。でも、ページを捲るたびに正論でタコ殴りしてくるような言葉が、悩みがちな僕にはぐっと響きました。

確かに怒って良くなることって、あんまりないんですよね。たとえば、怒りに任せてＳＮＳに思いを書き込んでも、大体変な伝わり方をするし、それで損するのは自分です。怒鳴って自分の意見を通したとしても、相手に「あいつはすぐ怒って、周りを変えようとする」と思われて禍根が残るかもしれません。それって根本的な解決にはなってませんよね。

著者にお会いした時、「世の中にあることは全部変わる。変わることを受け入れなさい」と言われました。変わることを悪としてとらえず、変わるだろうと思って、常に自分の感情を客観的に捉えておくことが、「怒らない」コツだと思います。

まあね、それでも怒っちゃうんですけどね！

『怒らないこと』
アルボムッレ・スマナサーラ著／だいわ文庫
定価:770円
＊定価は税10％です。

上田航平　お笑い芸人。1984年生まれ、神奈川県出身。趣味は読書で、「アメトーーク！」の読書芸人回に出演するなど活躍中。

わたしのちょっと苦手なもの ⑨

不確定な何事かを待つこと

夕木春央（作家）

　不確定な何事かを待つのが苦手です。

　例えば、何月何日の何時何分に何某（なにがし）が来訪、とはっきり決まっている分には困りません。しかし、その約束が「もしかしたら行く」だったり、「三時か四時くらいに行く」のようなものだと、途端にソワソワしてしまう。

　宅配便の受け取りも同様です。時間指定をしてある場合でも、最大で二時間程度、心の一部がうっすら落ち着かない状態で過ごすことになる。宅配ボックスも設置してありますが、荷物の大きさや内容によっては対面で引き渡される場合もあります。そこで、送られてくるはずの品物を確かめ、これは一体宅配ボックスに入るものか否（いな）かと気を揉（も）んだりする。

　電話を待つのもやはり苦手。問い合わせの電話をして、担当者が不在の場合などに、こちらから「何時間後かに改めて掛け直します」というのならいいのですが、先方から「折り返します」ということになると、手近に置いたスマートフォンを何度も見て、電波状況を心配し、相手の事情を推測しておよそいつ頃連絡が来るのかと考えを巡（めぐ）らせることになります。全くもって無益な時間でしかない。

不確定な何かに備えるのは無駄かもしれないことではあります。三時に来るかもしれない友人のために外出を我慢（がまん）していて、結果そいつが四時に来たのなら「だったらその間にコンビニに行けたじゃないか」ということになります。そんなのは生活をする上ではお互い様で、文句を言うほどのことでもないのですが、実際的な都合を別にしても、私はどう転ぶか分からない何かを待つのが苦手なようです。

電話だの荷物だので何を言ってるんだと思われるかもしれませんが、その通りです。およそ人生は何につけても不確定ですから、どうしたって何かを待つ時間は生じます。要するに、私は気が小さい。もっと重大なことを待つ時間もあるでしょう。すぐに思いつくのは、受験の結果とか、プロポーズの返事とかでしょうか。

一番待ちたくない不確定なものを想像するなら、重大犯罪をした時です。警察の捜査が進展し、自分の犯罪が露見するか否かと懊悩（おうのう）するのは余りにもイヤ過ぎる。

私は主に本格ミステリを書きますが、すると、基本的には謎を解く側の視点を描くことになるので、犯人の苦しみに同情する余裕はなかなかありません。解決編で書けなくはないものの、蛇足（だそく）なことが多そうです。私には到底耐えられませんが、せいぜい頑張ってもらうしかない。

ゆうき　はるお　２０１９年、「絞首商会の後継人」で第60回メフィスト賞を受賞。同年、改題した『絞首商會』でデビュー。『方舟』で「週刊文春ミステリーベスト10国内部門」「ＭＲＣ大賞２０２２」第１位。最新作は『サロメの断頭台』講談社刊。

文蔵

◆筆者紹介◆

4月号

あさのあつこ

54年岡山県生まれ。「バッテリー」シリーズで数々の賞を受賞。著書に、「おいち不思議がたり」「The MANZAI」「NO.6」「弥勒の月」シリーズ、などがある。

瀧羽麻子 たきわ あさこ

81年兵庫県生まれ。2007年『うさぎパン』でダ・ヴィンチ文学賞大賞を受賞し、デビュー。著書に『ありえないほどうるさいオルゴール店』『博士の長靴』など。

寺地はるな　てらち　はるな

77年佐賀県生まれ。14年『ビオレタ』で第4回ポプラ社小説新人賞を受賞。著書に『川のほとりに立つ者は』『水を縫う』『ガラスの海を渡る舟』など。

松嶋智左　まつしま　ちさ

61年大阪府生まれ。元警察官、女性白バイ隊員。２００５年に北日本文学賞、06年に織田作之助賞を受賞。著書に『女副署長』『三星京香の殺人捜査』など。

宮本昌孝　みやもと　まさたか

55年静岡県生まれ。『天離り果つる国』で、『この時代小説がすごい！　22年版』の単行本部門第一位を獲得。著書に、『剣豪将軍義輝』『ふたり道三』『風魔』など。

村山早紀　むらやま　さき

63年長崎県生まれ。『ちいさいえりちゃん』で毎日童話新人賞最優秀賞、椋鳩十児童文学賞を受賞。代表作に「コンビニたそがれ堂」「桜風堂ものがたり」シリーズなど。

和田はつ子　わだ　はつこ

東京都生まれ。日本女子大学大学院修了。著書に「料理人季蔵捕物控」「ゆめ姫事件帖」「口中医桂助事件帖」「花人始末」シリーズなどがある。

文蔵◆バックナンバー紹介

Vol.195 2022年11月
〈特集〉**図書館、博物館小説で文化を味わう**
●新連載小説 **福澤徹三**「恐室 冥國大學オカルト研究会活動日誌」(〜2023・7・8)

Vol.196 2022年12月
〈特集〉**山口恵以子デビュー十五年の軌跡**
●新連載小説 **小路幸也**「すべての神様の十月㈢」(〜2023・11)

Vol.197 2023年1・2月
〈ブックガイド〉**新世代のミステリー作家に大注目**

Vol.198 2023年3月
〈特集〉**「建物」が生み出す物語**
●新連載小説 **西澤保彦**「彼女は逃げ切れなかった」(〜2024・1・2)
●新連載エッセイ わたしのちょっと苦手なもの

Vol.199 2023年4月
〈特集〉**二刀流作家の小説が面白い**

Vol.200 2023年5月
〈特集〉**あさのあつこ その作品世界の魅力**

Vol.201 2023年6月
〈特集〉**時代を映す「青春小説」**
●新連載小説 **瀧羽麻子**「さよなら校長先生」

Vol.202 2023年7・8月
〈特集〉**ジョブチェンジ小説で未来を拓け**
●新連載小説 **村山早紀**「桜風堂夢ものがたり2」

Vol.203 2023年9月
〈特集〉**竹宮ゆゆこ作品の魅力に迫る**
●新連載小説 **あさのあつこ**「おいち不思議がたり」
寺地はるな「世界はきみが思うより」

Vol.204 2023年10月
〈特集〉**「スパイ・国際謀略」小説**
●新連載インタビュー 推し本、語ります

Vol.205 2023年11月
〈特集〉**小説で考える「ルッキズム」**

Vol.206 2023年12月
〈特集〉**作家・今村翔吾の軌跡**

Vol.207 2024年1・2月
〈特集〉**小説で読み解く紫式部と「源氏物語」**

Vol.208 2024年3月
〈特集〉**とにかくかわいい「猫小説」**

※創刊号(2005年10月)〜Vol.172(2022年9月)は品切です。

目次は文蔵HP[https://www.php.co.jp/bunzo/]でご覧いただけます。

ＰＨＰ文芸文庫　文蔵 2024. 4

2024年４月１日　発行

編　者	「文蔵」編集部
発行者	永田貴之
発行所	株式会社ＰＨＰ研究所

東京本部　〒135-8137　江東区豊洲5-6-52
文化事業部　☎03-3520-9620（編集）
普及部　☎03-3520-9630（販売）
京都本部　〒601-8411　京都市南区西九条北ノ内町11
PHP INTERFACE　https://www.php.co.jp/

制作協力 組　版	朝日メディアインターナショナル株式会社
印刷所 製本所	図書印刷株式会社

ISBN978-4-569-90385-9